Jeunesse

L'AFFAIRE CAÏUS

HENRY WINTERFELD

L'AFFAIRE CAÏUS

Traduit de l'allemand par :
Olivier Séchan

HACHETTE
Jeunesse

L'édition originale de cet ouvrage
a paru en langue allemande
aux éditions Lothar Blanvalet, Berlin,
sous le titre :
CAÏUS IST EIN DUMMKOPF
© Hachette Livre, 1996, 2001.

1

Le profond silence qui régnait depuis un moment dans la classe fut soudain troublé par des rires étouffés. Seul Mucius, le meilleur élève de l'école, ne se laissa pas distraire dans son travail et continua à écrire sur sa tablette de cire[1]. Mais lorsque son voisin Antoine lui eut poussé le coude à deux ou trois reprises, il finit par s'interrompre pour jeter un coup d'œil autour de lui et voir ce qui provoquait l'hilarité discrète des autres élèves. Il s'aperçut alors que son ami Rufus venait de réussir un tour peu ordinaire : il avait subrepticement quitté

---

1. Plaquette de bois recouverte de cire, qui servait de cahier.

sa place et, par un savant mouvement tournant, était parvenu à se glisser derrière le maître qui, plongé dans sa lecture, n'avait rien remarqué. Puis il avait accroché au mur sa tablette qui portait l'inscription suivante, tracée en grandes majuscules visibles de loin :

CAÏUS EST UN ÂNE.[1]

Les écoliers pouffaient de rire, à l'exception de ce gros benêt de Caïus qui contenait difficilement sa fureur. Tout fier du succès remporté par son initiative, Rufus s'inclina deux ou trois fois vers l'assistance, comme un acteur qui salue le public, puis il étendit le bras pour décrocher sa tablette. Mais au même instant Xantippe, le maître d'école, relevait la tête en fronçant ses gros sourcils broussailleux.

« Un peu de silence ! » gronda-t-il.

Les rires cessèrent comme par enchantement. Rufus se figea dans une immobilité complète et attendit un moment plus favorable pour regagner sa place. Les autres élèves baissèrent le nez sur leur travail. Quelques minutes auparavant, le maître

---

1. Lors de récentes fouilles à Pompéi, on a mis au jour le mur d'un temple sur lequel une main enfantine avait tracé ces mots : *Caïus asinus est.* Comme on le voit, les petits Romains de l'Antiquité ne différaient guère des écoliers d'aujourd'hui. C'est cette inscription qui a donné à l'auteur l'idée de ce roman.

leur avait fait ânonner en chœur une longue liste de mots grecs, puis leur avait ordonné de les noter de mémoire. Ils firent donc semblant de griffonner sur leurs tablettes, mais, à la dérobée, continuèrent à lancer des regards moqueurs à Caïus rouge de colère.

« Rufus est fou ! chuchota Mucius à l'oreille d'Antoine. Qu'est-ce qui lui a pris ?

— C'est parce que Caïus l'empêchait de travailler, répliqua l'autre en gloussant de rire. Il ne cessait pas de lui piquer le dos avec son stylet[1].

— J'avais pourtant dit à Caïus de laisser ses camarades tranquilles ! grommela Mucius avec humeur. Mais lui, avec ses blagues stupides... »

En sa qualité de meilleur élève, Mucius avait été désigné comme moniteur de la classe, tout spécialement chargé de faire régner la discipline et de régler les différends entre élèves. En général, ses camarades lui obéissaient sans difficulté. Seul, Caïus se rebellait contre son autorité et ne tenait aucun compte de ses observations. Fils d'un sénateur extrêmement riche, le jeune Caïus se jugeait supérieur aux autres et prétendait n'en faire qu'à sa tête. C'était le cancre de la classe. Pas méchant garçon au demeurant, mais lent d'esprit, parfois

---

1. Pointe avec laquelle on gravait la tablette de cire.

brutal dans les jeux et adorant taquiner ses camarades ou leur faire des farces assez peu spirituelles[1].

Par malheur, il était également d'un caractère plutôt emporté. Comme les autres élèves continuaient à rire sous cape en le regardant, il fut incapable de se maîtriser plus longtemps. D'un bond, il se dressa à sa place, tendant le poing vers Rufus.

« Si je suis un âne, cria-t-il, toi, tu es le fils d'un lâche ! »

Le maître sursauta et releva la tête. Il crut que l'invective le visait.

« Quoi ? Quoi ? fit-il avec stupeur. Je suis le fils d'un lâche, moi ? Qu'est-ce que ça signifie ?

— Je... », commença Caïus.

Il n'eut pas le temps de s'expliquer, car déjà Rufus bondissait vers lui.

L'insulte avait touché le jeune garçon à son point le plus sensible. Il était le fils du général Marcus Praetonius, soldat de grande valeur, mais qui venait d'être battu par les Gaulois. Rufus, qui adorait son père, avait été profondément peiné et humilié par la nouvelle de cette défaite. Aussi se précipita-t-il vers Caïus, sans se soucier des conséquences de son acte.

« Sale menteur ! hurla-t-il avec rage. Tu vas me payer ça ! »

---

1. Assez peu fines.

Et il tomba sur lui à bras raccourcis. Surpris par la rapidité de l'attaque, Caïus fit la culbute en entraînant son banc. Les deux adversaires se retrouvèrent sur le sol où ils continuèrent à se battre avec acharnement. Au milieu d'un tumulte grandissant, les autres élèves quittèrent leur place pour former un cercle autour des deux combattants et les encourager de la voix et du geste. On aurait cru assister à un combat de gladiateurs[1] dans le cirque[2].

Xantippe, le maître, qui n'avait jamais vu pareil spectacle dans son école, avait été trop stupéfait pour songer immédiatement à intervenir. Il finit par se ressaisir, bondit de sa place, vint séparer les adversaires et les remit sur pied. Les deux gamins reprenaient péniblement leur souffle et se jetaient des regards furieux. Leurs tuniques, auparavant d'un blanc immaculé, étaient maintenant en un triste état.

« Ah ! c'est du joli ! gronda le maître en foudroyant les coupables du regard. C'est du joli ! »

Puis se tournant vers le chef de classe :

« Fais-moi ton rapport, ordonna-t-il à Mucius.

---

1. Combattants qui luttaient entre eux pour l'amusement des spectateurs.
2. Grand espace circulaire où avaient lieu des spectacles et des combats de gladiateurs.

Que s'est-il passé ? Qui a commencé ? Allons !
Parle ! »

Mucius se trouva plongé dans un cruel embarras.
Il lui répugnait en effet de dénoncer ses camarades,
mais il était bien obligé, lui, le moniteur, de donner une explication satisfaisante à Xantippe qui
était un maître fort sévère et ne plaisantait pas sur
les questions de discipline.

Le maître était un Grec qui s'appelait en réalité
Xanthos. Les gamins l'avaient surnommé Xantippe, en souvenir de feu Xantippe, l'épouse du
fameux philosophe Socrate[1]. Femme acariâtre[2],
racontait-on, qui était toujours de mauvaise
humeur et avait mené la vie dure à son infortuné
mari. Xanthos, lui aussi, était toujours de mauvaise
humeur et menait la vie dure à ses pauvres élèves.
Il exigeait beaucoup d'eux, en particulier une discipline exemplaire. Mais il ne les battait jamais, car
il connaissait d'autres méthodes pour se faire res-
pecter.

Il pouvait d'ailleurs se permettre d'être sévère, et
même parfois tyrannique. Son savoir était
immense : s'il enseignait avec talent le latin, le grec,
l'histoire et la géographie, il avait surtout acquis

---

1. Le plus grand philosophe de l'Antiquité : il vivait en Grèce au
Ve siècle av. J.-C.
2. D'un caractère désagréable.

une grande réputation comme mathématicien en publiant de nombreux ouvrages sur les cercles, les triangles, les parallélogrammes et autres questions vraiment captivantes. Aussi l'École Xanthos, qu'il avait fondée à Rome, était-elle l'une des plus chères et des plus recherchées de la capitale. Seuls, les très riches patriciens pouvaient se permettre d'y envoyer leurs fils. Les élèves y étaient toujours en fort petit nombre, et pour l'instant ils n'étaient même que sept : Mucius, Rufus, Caïus, Jules, Flavien, Publius et Antoine. Par hasard, il se trouvait qu'ils habitaient tous sur le mont Esquilin[1], dans un quartier de villas aristocratiques, et ils suivaient donc le même chemin pour se rendre à l'école.

Comme Mucius ne lui donnait toujours aucune explication sur les causes de la bagarre, Xantippe entra en fureur.

« Alors, quoi ? cria-t-il. Tu as perdu ta langue ? Réponds ! Que s'est-il passé ?

— Je n'ai rien vu, répondit Mucius d'une voix hésitante. J'écrivais mes mots grecs sans m'occuper des autres... »

Antoine vint alors à son secours.

« Non, personne n'a rien vu, dit-il. Nous étions tous en train de travailler, bien sagement... »

---

1. L'une des collines de Rome (voir plan sur le rabat).

Ces derniers mots portèrent l'exaspération du maître à son comble.

« Bien sagement ! rugit-il. Vous vous battez pendant le cours, et vous appelez ça "travailler bien sagement" ! Qui a commencé ? »

Caïus et Rufus restèrent muets.

« Ah ! ah ! reprit Xantippe. Vous voulez jouer les fortes têtes ? Eh bien, je vais être obligé de sévir ! »

Il pointa le doigt vers Rufus.

« Pourquoi as-tu quitté ta place ? Et qu'allais-tu faire derrière moi pendant le cours ? Réponds, je te l'ordonne ! »

Mais Rufus ne répondit rien. Il restait là, figé, les lèvres serrées, contemplant fixement son maître.

Xantippe se retourna pour jeter un regard sur le mur. Soudain, il aperçut l'inscription :

CAÏUS EST UN ÂNE.

Alors il explosa littéralement.

« Ah ! cria-t-il. Regardez-moi ça ! Eh bien, attends un peu, mon petit ! Tu vas voir de quel bois je me chauffe ! Au lieu de travailler, tu as commis une faute grave ! Tu as troublé l'ordre et la discipline de la classe ! Prends immédiatement tes affaires et file ! L'École Xanthos n'est pas un terrain de jeux pour de jeunes Romains indisciplinés. Demain, j'irai voir ta mère et lui demanderai de te retirer de l'école. Ta place n'est plus ici ! Tu ne mérites pas que tes parents dépensent tant d'argent pour toi. Allez ! Dehors ! »

Puis il ordonna aux autres élèves de retourner à leur place et de se remettre au travail. Mais il n'avait pas oublié Caïus.

« Quant à toi, reprit-il, tu me copieras dix fois, pour demain la liste de mots grecs. En calligraphie[1], s'il te plaît ! Et malheur à toi si j'y trouve une seule faute ! »

Justice était faite. Après avoir lancé aux coupables un regard glacial, Xantippe retourna à son pupitre[2] et reprit sa lecture au milieu d'un silence de mort.

Caïus alla se rasseoir en faisant grise mine. Rufus, lui, resta debout, les larmes aux yeux, ne pouvant se décider à quitter la classe. Ses camarades l'observaient à la dérobée, avec compassion. Rufus avait toujours été particulièrement fier d'appartenir à l'École Xanthos. Ses parents, qui fondaient de grands espoirs sur lui, avaient tenu à ce qu'il fréquentât la meilleure école de Rome, mais cela représentait une lourde charge pour eux, car ils

---

1. Écriture belle et soignée.
2. Bureau.

n'étaient pas très riches. Le père du jeune homme avait dû en effet consacrer la plus grande partie de sa fortune à l'armement de ses légions[1].

Brusquement, Rufus s'élança vers Xantippe et lui dit d'une voix brisée par l'émotion :

« Maître, je t'en supplie ! Ne va pas trouver ma mère ! Donne-moi plutôt une punition !... »

Xantippe l'écarta d'un geste irrité.

« Tes remords viennent trop tard ! gronda-t-il, sans même lever les yeux de son livre. Sors d'ici ! »

Lentement, Rufus retourna à sa place et commença à ramasser ses affaires qui étaient tombées par terre au cours de la bagarre. Ce faisant, il commit une petite méprise, peu importante en soi, mais qui devait pourtant jouer un grand rôle par la suite. Il se trompa de lanterne et, au lieu de la sienne qui avait roulé sous son banc, il prit celle de Mucius. C'était une jolie petite lanterne de bronze sur laquelle était gravé le nom de son propriétaire : *Mucius Marius Domitius*. Mucius s'en aperçut, mais il n'osa élever la voix pour faire remarquer son erreur à son camarade, et il se promit de procéder à l'échange quand il le reverrait.

Après avoir rangé ses affaires de classe, Rufus, espérant peut-être que Xantippe reviendrait sur sa

---

1. La division la plus importante de l'armée romaine. Elle pouvait compter jusqu'à 6 000 hommes.

décision, mit encore un long moment à se draper dans son manteau. C'était une grosse pièce de laine, tissée à la maison, qui était un peu trop courte pour lui. Mucius, qui ne cessait d'observer son camarade, remarqua que ce manteau portait sur l'épaule gauche une longue déchirure soigneusement raccommodée avec de la laine plus foncée. Comme on le verra par la suite, ce détail devait également avoir son importance.

Enfin prêt, Rufus jeta un dernier regard implorant au maître. Mais celui-ci ne bronchant pas, le jeune garçon dut se décider à quitter la classe.

L'École Xanthos était située dans la Rue Large, à proximité du Forum, ce grand lieu de passage et de réunions qui, avec ses innombrables temples et monuments publics, était célèbre dans le monde entier, et considéré comme le centre de l'Empire. La Rue Large était l'une des plus belles artères du quartier des affaires. Xantippe l'ayant jugée digne d'accueillir son école, il y avait loué à prix d'or une petite maison. La salle de classe était au rez-de-chaussée et donnait sur la rue, si bien que les écoliers étaient pour ainsi dire à l'étalage. Mais ils y étaient depuis longtemps habitués, et les passants ne faisaient d'ailleurs guère attention à eux. La vue d'écoliers en train de travailler était familière aux

Romains, certaines écoles bon marché étant même installées sous le péristyle[1] de bâtiments publics.

Lorsque Rufus eut franchi le seuil, Mucius se pencha légèrement sur son banc pour suivre son camarade des yeux. Il le vit faire quelques pas dans la direction du Forum, puis s'arrêter brusquement comme s'il était frappé d'indécision. Là-dessus, il fit demi-tour, revint lentement vers l'école, et finit par s'asseoir sur le tonneau fixé par une chaîne au mur de l'auberge voisine. Mucius se demanda pourquoi il restait là. Avait-il déjà oublié ses soucis ? On aurait pu le croire en l'observant, car Rufus, tranquillement assis sur son tonneau, les mains aux genoux, paraissait contempler avec amusement l'intense circulation de la rue.

Le soleil s'était couché derrière le Janicule[2], le soir venait. Au ciel sans nuages brillaient déjà quelques étoiles. La Rue Large s'était emplie d'une foule de gens qui, pour la plupart, revenaient des thermes[3] du Champ de Mars[4] tout proches. D'innombrables sandales claquaient sur le pavé, des lambeaux de conversations et des rires dominaient de temps à autre la rumeur des voix. Des

---

1. Colonnade.
2. Colline située à l'extérieur de Rome, de l'autre côté du fleuve Tibre.
3. Bains publics.
4. Grande place à Rome qui servait de lieu d'exercices militaires, mais aussi de lieu de réunions pour des assemblées.

mendiants agenouillés au bord de la chaussée demandaient l'aumône aux passants indifférents ; des marchands ambulants s'égosillaient pour liquider les figues, olives ou gâteaux qui leur restaient encore en cette heure tardive. Puis on vit défiler un détachement de prétoriens[1] sous la conduite d'un jeune officier à la cuirasse étincelante. Un peu plus tard, une charrette de maraîcher, tirée par deux mulets, dut s'arrêter devant l'école, car, en sens inverse, arrivait une litière[2] portée par huit Nègres à la livrée rouge et or. La rue se trouva embouteillée. En criant : « Place pour Son Excellence ! », le guide de la litière donna quelques coups de bâton à droite et à gauche pour écarter les badauds ; pendant ce temps, le maraîcher se rangeait sur le côté pour dégager le passage.

Dans la litière était assis un gros homme complètement chauve qui lisait un livre et agitait nonchalamment un grand éventail. Il portait la toge[3] de sénateur[4], à deux bandes rouges, et avait une suite

---

1. Militaires romains de l'Empire.
2. Voiture dans laquelle on se faisait transporter allongé.
3. Grand vêtement drapé qui enveloppait tout le corps et servait de manteau, porté par les citoyens romains.
4. Les sénateurs administraient, entre autres, les finances et dirigeaient la diplomatie.

particulièrement importante d'esclaves[1] et d'admirateurs. Les passants l'acclamaient ; certains, même, tentaient de s'approcher pour lui baiser la main, mais ils étaient écartés sans ménagements par le guide. Soudain le gros homme releva la tête, et Mucius le reconnut alors à la longue cicatrice qui courait en travers de sa calvitie : c'était l'ex-consul[2] Tellus, qui, bien des années auparavant, avait remporté de brillants succès militaires en Orient. Retiré de la politique, il menait maintenant une vie somptueuse grâce à l'énorme fortune amassée au cours de ses campagnes.

Lorsque la voie fut libre, les porteurs se remirent en marche. Tellus salua la foule en agitant son éventail, puis il sortit du champ visuel de Mucius. La charrette repartit de son côté dans la direction du Forum.

Bientôt la rue se vida rapidement. On n'aperçut plus que quelques attardés qui se hâtaient de rentrer chez eux avant la tombée de la nuit. Les mendiants et les marchands ambulants se dispersèrent. Puis deux veilleurs de nuit firent leur apparition et

---

1. Homme considéré comme une marchandise. Il est acheté par un maître et n'a aucun droit. Il peut exercer toutes sortes d'activités dans la maison, les ateliers ou les champs.

2. Le consul est le plus haut magistrat de Rome. Il est élu, avec un collègue, par une assemblée, pour une seule année. Les consuls exercent le pouvoir judiciaire et militaire.

passèrent lentement de boutique en boutique pour vérifier si les volets étaient bien fermés.

Rufus était toujours assis sur son tonneau et paraissait plongé dans une profonde rêverie. De temps à autre Mucius se penchait pour l'observer, et se demandait pourquoi il restait là. Espérait-il revoir Xantippe après la fin de la classe pour implorer son pardon ? Ou bien attendait il ses amis et les esclaves qui n'allaient pas tarder à venir les chercher ? Mucius se posait une nouvelle fois la question lorsque soudain Rufus sauta sur ses pieds, traversa en courant la chaussée et s'engagea dans une ruelle transversale qui, longeant le Champ de Mars, menait au grand pont sur le Tibre[1].

Mucius en fut très surpris, et cela l'inquiéta même un peu. Pour rentrer chez lui, Rufus devait traverser le Forum. Pour quelle raison s'engageait-il donc dans la direction inverse ? La nuit venait, et il n'était guère prudent de se promener seul dans les ruelles obscures qui aboutissaient au fleuve.

« Il veut probablement faire un long détour avant de rentrer chez lui, se dit-il à la réflexion. Après ce qui lui est arrivé, ce pauvre Rufus ne doit pas être très pressé de retrouver sa mère ! »

Rassuré par cette pensée, il entreprit alors de terminer son travail.

---

1. Fleuve de Rome.

2

Le lendemain à l'aube, lorsqu'ils arrivèrent à l'école, les jeunes garçons furent étonnés de ne pas y trouver leur maître. D'habitude, celui-ci était déjà installé à son pupitre, et il travaillait à la lueur trouble d'une lampe à huile. En se disant qu'il allait surgir d'un instant à l'autre, les élèves se débarrassèrent silencieusement de leurs affaires et prirent place sur les bancs.

Ce matin-là, ils n'étaient que cinq. L'absence de Rufus était facilement explicable puisqu'il avait été mis à la porte, mais celle de Caïus l'était moins. Peut-être avait-il jugé bon de faire l'école buissonnière pour n'avoir pas à remettre son long pensum[1] ? Si c'était le cas, il avait fait un mauvais calcul, car Xantippe était doué d'une prodigieuse mémoire, en particulier lorsqu'il s'agissait de punitions.

Au bout d'un moment, les élèves commencèrent à s'agiter. Certes, ils ne brûlaient pas d'envie de voir apparaître leur maître, mais ils étaient mécontents de s'être levés si tôt pour rien. Ils en avaient déjà assez de contempler les murs, et regrettaient leur lit bien chaud. Leurs lanternes qu'ils avaient posées à côté d'eux sur les bancs ne jetaient qu'une clarté vacillante et empestaient l'huile brûlée.

Dehors, dans le petit jour grisâtre, la rue était encore lugubre et sans vie.

Antoine et Flavien grignotaient les galettes qu'ils avaient achetées chez le boulanger voisin, car ils n'avaient pas eu le temps de prendre leur petit déjeuner à la maison.

De longues minutes s'écoulèrent, et les jeunes garçons commencèrent à s'inquiéter. Xantippe logeait dans la pièce voisine, qui n'était séparée de la salle de classe que par un rideau. Si le maître avait été levé, les élèves auraient dû l'entendre. Or, derrière le rideau, rien ne bougeait.

« Il doit faire la grasse matinée ! dit Publius avec un petit rire moqueur.

---

1. Travail supplémentaire donné à un élève en guise de punition.

— Penses-tu ! répliqua Jules. Même les jours de fête il est levé avant l'aube. C'est lui-même qui me l'a dit !

— Bah ! fit Publius en haussant les épaules. Si tu crois tout ce qu'on te raconte !... »

Flavien émit alors l'idée que Xantippe était peut-être allé voir la mère de Rufus. Mais Mucius grogna :

« C'est absurde ! On ne rend pas de visites avant le lever du soleil. Éteins donc ta lanterne ! Elle nous enfume complètement ! »

Obéissant, Flavien souffla sa lanterne. Là-dessus Antoine, qui était curieux de nature, se leva de sa place et commença à fureter dans la salle. Soudain il s'aperçut que l'escabeau de Xantippe était renversé, et il le fit remarquer aux autres. Cela ne manqua pas de les surprendre, car le maître était extrêmement ordonné et rangeait chaque soir la classe après le départ des élèves.

« Il est peut-être malade ? suggéra Jules.

— Je ne vois pas le rapport avec l'escabeau renversé ! dit Publius, qui était l'esprit critique de la bande.

— Mais si ! Il doit être tombé malade, et n'a pas eu la force de remettre de l'ordre. Nous devrions passer dans sa chambre pour voir si tout va bien. »

Mucius s'y opposa.

« S'il était malade, dit-il, il nous aurait certainement appelés. Attendons !

— Oui, attendons ! répéta Publius. Et profitons-en pour prendre un peu de repos ! »

Il bâilla bruyamment, puis il s'allongea sur son banc et fit semblant de ronfler. Les autres se mirent à rire. Mais soudain Antoine s'écria d'une voix étranglée :

« Et si on l'avait assassiné ?... »

Le petit Flavien qui n'était guère courageux se leva à demi de son banc et lança un regard anxieux vers le rideau.

« Allons ! allons ! fit Mucius sur un ton désapprobateur. Ne dis pas de bêtises ! Qui donc aurait bien pu assassiner Xantippe ?

— Lukos ! » souffla Antoine.

Antoine redoutait toujours le pire. Il ne rêvait que de fantômes et d'assassins. Chaque soir, avant de se coucher, il regardait sous son lit pour voir s'il n'y avait pas quelque bandit caché – et il était un peu déçu de n'en point trouver. Ses amis connaissaient son imagination débordante et ils en riaient. Cette fois ils furent tout de même impressionnés, car le nom de Lukos les faisait frissonner.

Lukos était un célèbre astrologue et voyant, qui se prétendait originaire d'Alexandrie[1] et s'était ins-

---

1. Grande ville d'Égypte.

tallé à Rome deux ans auparavant. Des bruits extraordinaires couraient sur son compte. On le disait doué de pouvoirs surnaturels, car il avait su prévoir d'importants événements politiques. Certains affirmaient même qu'il pratiquait la magie et pouvait jeter des sorts.

Les jeunes garçons parlaient souvent de ce mystérieux Lukos dont la maison était située juste en face de l'école. C'était une haute bâtisse sévère, sans fenêtres, qui dominait les petites boutiques avoisinantes. Un grand panneau était fixé au mur, à droite de la porte d'entrée, et l'on y lisait ces mots tracés en lettres rouge sang :

LUKOS
Astrologue diplômé,
membre de l'académie d'Alexandrie,
ex-devin particulier du roi de Perse.
Consultations : tous les soirs
après le coucher du soleil.
Entrée interdite aux mendiants
et aux colporteurs.
(Danger de mort !)

Les jeunes garçons avaient lu d'innombrables fois ce panneau, mais il les impressionnait toujours.

En particulier ce « Danger de mort ! » à l'adresse des importuns.

Antoine prétendait que Lukos avait enterré dans sa cave les cadavres d'une bonne demi-douzaine de mendiants ou de colporteurs. Les autres élèves riaient de cette affirmation hasardeuse, tout en étant incapables de lui prouver qu'il se trompait. Chose curieuse : ce Lukos dont ils parlaient tant semblait ne jamais quitter son domicile, et aucun d'eux ne pouvait encore se vanter de l'avoir aperçu.

Un jour, pendant la récréation de midi, Antoine avait déclaré que le devin ne sortait pas de chez lui parce qu'il était cul-de-jatte ! Mais Publius, ce contradicteur-né, lui avait répliqué :

« Si c'était le cas, il se ferait transporter par ses esclaves.

— Lukos n'a pas d'esclaves, avait dit Antoine, très sûr de lui.

— Allons donc ! s'était alors écrié Publius impatienté. Lukos est immensément riche. Un consul, qui est venu l'autre jour chez nous, a raconté à mon père que Lukos gagnait des millions de sesterces[1]. Tous les hommes politiques vont le consulter pour connaître l'avenir, et ils le paient très cher ! On dit même qu'il devine les plans les plus secrets de l'empereur ; celui-ci n'en sait rien, bien sûr, mais les

---

1. Monnaie romaine.

consuls et les sénateurs sont aussitôt mis au courant. Et tu voudrais me faire croire que Lukos n'a pas d'esclaves, alors que chaque millionnaire en a au moins une centaine. Nous-mêmes, nous en avons deux cents !

— Peuh ! avait fait Antoine sans s'émouvoir. Nous en avons bien plus que ça ! Mon père vient même d'en acheter deux autres, rien que pour s'occuper des poissons rouges ! Mais Lukos n'a pas d'esclaves ; c'est mon père qui l'a dit, et il est mieux renseigné que ton consul. As-tu jamais vu un esclave sortir de chez Lukos ?

— Eh bien, non. C'est curieux ! » avait dû reconnaître Publius.

Flavien avait alors demandé :

« Et qui lui apporte à manger ?

— Personne ! avait répliqué Antoine. Quand Lukos a faim, il fait un tour de magie, et il a aussitôt un beau rôti sur sa table. »

Mucius, plus raisonnable que ses camarades, en avait eu assez de cette ridicule discussion, et il y avait mis fin en disant :

« Vous êtes stupides ! Par des tours de magie, il n'est pas possible de produire un rôti. Non ! la seule explication est que Lukos doit sortir pendant la nuit pour aller chercher quelque chose à manger.

« — Comment peut-il marcher sans jambes ? »
avait alors demandé Caïus stupéfait.

Et cela les avait fait bien rire

Mais cette discussion s'était déroulée plusieurs
semaines auparavant. Pour l'instant, les jeunes garçons n'avaient guère envie de plaisanter. Ils commençaient à trouver bizarre l'absence de leur
maître, et les propos d'Antoine n'étaient pas faits
pour les rassurer.

« Et pour quelle raison crois-tu que Lukos aurait
pu le tuer ? lui demanda sèchement Mucius.

— Oh ! pour une raison bien simple, répondit
Antoine. C'est parce que le bruit de l'école dérange
Lukos pendant ses consultations.

— Le mobile du crime me semble insuffisant ! »
objecta Jules en prenant la voix de son père, un juge
réputé.

Antoine haussa les épaules.

« Eh bien, il ne l'a pas tué, dit-il. Il l'a métamorphosé en cochon, ce qui revient au même. »

Malgré leur inquiétude, les élèves ne purent
s'empêcher de rire. Mais Jules insista.

« Si Xantippe était transformé en cochon, dit-il,
nous l'entendrions grogner à côté !

— Pas forcément, dit Antoine. Lukos a pu le
métamorphoser en cochon muet.

— Ça n'existe pas ! »

Ils se disputèrent alors pour savoir s'il y avait ou non des cochons muets. Publius allait intervenir dans la discussion lorsque ses yeux tombèrent sur le mur, derrière le pupitre de Xantippe, et il s'écria :

« Tiens ! la tablette a disparu ! »

Ses camarades ne comprirent pas tout de suite ce qu'il voulait dire, puis ils se souvinrent de la tablette de cire sur laquelle Rufus avait écrit : « Caïus est un âne. » Elle avait effectivement disparu, et ils se demandèrent où elle pouvait bien être.

Mucius estima que Xantippe avait dû la jeter.

« Non, dit Jules. Je pense plutôt qu'il l'a mise de côté pour la montrer à la mère de Rufus et lui prouver ainsi que son fils est responsable de la bagarre avec Caïus.

— C'est probable, admit Antoine. Un grand mathématicien comme Xantippe n'avance rien sans preuves à l'appui.

— Pauvre Rufus ! » dit Flavien en soupirant.

Et il y eut un très long silence. Dehors, le jour venait lentement, mais le soleil n'était pas encore levé. La Rue Large était toujours déserte.

« Rentrons chez nous ! gronda subitement Publius. J'en ai assez de perdre mon temps ici !

— Tais-toi ! lui ordonna Mucius en se dressant à demi. Je crois avoir entendu quelque chose à côté... »

Tous les élèves se retournèrent vers la porte et prêtèrent l'oreille.

« Vous entendez ? » chuchota Mucius.

Un râle étouffé venait de la chambre de Xantippe.

3

« Allons voir ce que c'est ! » proposa Jules à mi-voix.

Flavien protesta avec effroi.

« Oh ! non, gémit-il. Nous ferions mieux d'appeler la garde ! »

Les autres regardèrent Mucius et attendirent sa décision. Sur la pointe des pieds, celui-ci se dirigea alors vers la porte, s'arrêta devant le rideau et prêta de nouveau l'oreille. Silence.

« Ce devait être le vent, dit-il.

— Je n'ai encore jamais entendu le vent râler,

murmura Publius. D'ailleurs, il n'y a pas le moindre vent ce matin ! »

Mucius se retourna vers Antoine.

« Apporte-moi ta lanterne, lui dit-il. Je vais voir ce qui se passe. »

Antoine obéit. Mucius écarta le rideau, puis tout aussitôt poussa un cri de stupeur et resta cloué sur place. Les autres se précipitèrent pour regarder par-dessus son épaule.

La chambre de Xantippe n'était que maigrement éclairée par une étroite fenêtre, mais les jeunes garçons purent voir qu'il s'y était passé quelque chose de grave. Presque tous les meubles étaient renversés. Le sol était jonché de rouleaux de papyrus[1], de cartes, de tablettes et de vêtements. Seuls, le lit et une grosse armoire étaient restés debout. Pas de Xantippe. Son lit était vide, le drap déchiré en plusieurs morceaux.

Les gamins étaient si ahuris par ce spectacle qu'ils avaient complètement oublié le bruit suspect. Mucius se fraya un passage dans le désordre, s'arrêta au milieu de la pièce dévastée, et regarda autour de lui en hochant la tête.

« C'est insensé ! » murmura-t-il.

Ses camarades se rapprochèrent lentement de

---

1. Plante qui pousse en Égypte et dont la tige était transformée en feuilles de papier.

lui. Seul Flavien, prêt à prendre la fuite, était resté sur le seuil, et il demanda d'une voix tremblante :

« Où est Xantippe ? »

Antoine alla promener sa lanterne dans le recoin qui servait de cuisine, puis il regarda sous le lit.

« Il n'est pas là ! annonça-t-il.

— Eh bien, c'est qu'il a filé ! dit Publius.

— Oui, c'est ça ! s'écria Antoine. Il est reparti cette nuit pour la Grèce parce que nous l'avions mis en colère hier soir. De rage, il a tout démoli ! »

Publius eut un rire moqueur.

« Tiens ! fit-il. Tu disais que Lukos l'avait changé en cochon !

— Non ! répliqua vivement Antoine, il n'a pas été métamorphosé en cochon. Cette nuit il est allé voir Lukos pour se faire prédire l'avenir. Il voulait savoir si le père de Rufus, le général, serait furieux lorsqu'il apprendrait que son fils avait été renvoyé de l'école. Un général joue facilement du glaive[1], s'est dit Xantippe. Lukos lui a annoncé que sa vie était en danger, et il lui a conseillé de retourner au plus vite dans son pays. Le général n'ira pas jusqu'en Grèce pour tuer Xantippe ; ça ne vaudrait tout de même pas le voyage ! Je crois que... »

Antoine s'interrompit, car soudain on entendait de nouveau le râle. Cette fois il était plus fort et

---

1. Courte épée.

dura plus longtemps. Sans erreur possible, il provenait de l'armoire à vêtements.

Les jeunes garçons restèrent figés de frayeur.

« C'est là-dedans ! murmura Mucius.

— Un esprit ! chuchota Antoine.

— Sauvons-nous ! » gémit Flavien.

Mais les autres regardaient fixement l'armoire, comme hypnotisés. Le râle retentit encore, et fut suivi d'une sorte de croassement.

« Quelqu'un est enfermé là-dedans ! dit Mucius en se dirigeant vers l'armoire.

— N'ouvre pas ! hurla Flavien.

— Bien sûr que si ! Il va étouffer.

— Ce n'est pas un homme, c'est un esprit ! dit Antoine. Et un esprit ne risque pas d'étouffer !

— Tais-toi ! gronda Mucius. Il n'y a pas d'esprits dans les armoires. Je vais ouvrir. Éclairez-moi ! »

Antoine dirigea le rayon de sa lanterne sur la porte de l'armoire, mais sa main tremblait tellement que la faible lueur dansait comme un feu follet sur le mur.

On entendit un nouveau croassement. Mucius tourna hardiment la clef, ouvrit d'un seul coup la porte et recula avec effroi.

Xantippe était assis dans le fond du meuble, ficelé des pieds à la tête comme un ballot de vêtements. Il avait les mains ligotées dans le dos ; son visage était masqué par des bandes d'étoffe, et l'on ne voyait que ses yeux et ses cheveux hirsutes. En apercevant les enfants, il poussa un croassement coléreux derrière son bâillon.

« Pourquoi s'est-il mis là ? » demanda Flavien complètement éberlué.

Un croassement plus énergique lui répondit.

« Il veut peut-être sortir ? » dit Antoine.

Mucius finit par se ressaisir.

« Allons ! cria-t-il aux autres. Ne restez pas plantés comme des piquets ! Aidez-moi ! Sortons-le de là ! »

En unissant leurs forces, ils tirèrent le maître de l'armoire et le laissèrent lourdement retomber sur le sol. Xantippe poussa un furieux grognement. Mucius lui arracha son bâillon, puis se pencha sur lui.

« Comment te sens-tu ? » demanda-t-il avec sollicitude.

Xantippe ne répondit pas ; il ferma les yeux, eut un profond soupir.

« Ça y est ! Il meurt ! » dit Antoine.

Mais Xantippe rouvrit les yeux et s'écria avec rage :

« Par Jupiter[1] et par tous les dieux du ciel !

---

1. Le plus important des dieux romains.

Qu'est-ce que vous attendiez ? J'ai failli étouffer ! Dépêchez-vous de m'enlever ces liens ! Mes bras et mes jambes sont presque morts. Allez vite chercher un couteau de cuisine ! »

Antoine et Publius commençaient déjà à dénouer les cordelettes qui entouraient les jambes de leur maître. Avec le grand couteau à pain que Flavien était allé chercher, Mucius trancha les bandes de toile qui ligotaient ses poignets. Prudemment, Xantippe étendit les bras, fit jouer ses articulations.

« Soutenez-moi ! gémit-il. Je ne peux pas remuer ! »

Les gamins le soulevèrent et le conduisirent jusqu'à son lit sur lequel il s'effondra, complètement épuisé. Au bout d'un moment il tâta sa cheville gauche et fit une grimace de douleur.

« Aïe ! ma jambe ! gémit-il. On dirait bien que j'ai la cheville foulée, elle est déjà tout enflée... Oh ! Aïe ! Je ne vais plus pouvoir marcher ! »

Puis il se toucha la tête.

« Aïe ! fit-il encore. Quelle bosse énorme ! »

Il décrocha le petit miroir métallique pendu au-dessus de son lit et tenta d'examiner la bosse qui ornait son crâne. Comme il paraissait avoir complètement oublié la présence des élèves, Mucius finit par toussoter et lui demanda :

« Mais comment se fait-il que tu te sois trouvé dans cette armoire ? »

Xantippe lui lança un regard indigné.

« Alors, quoi ? gronda-t-il. Vous n'avez pas encore compris que j'ai été victime d'une agression ? »

4

Il y eut un moment de stupeur, puis les questions s'entrecroisèrent :

« Qui donc t'a attaqué ?

— On a voulu te tuer ?

— As-tu reconnu l'agresseur ?

— Un peu de silence ! je vous en prie ! croassa Xantippe dont la voix était encore rauque. Voici ce qui s'est passé : au milieu de la nuit, j'ai été réveillé par un bruit de pas dans la salle de classe. J'ai crié : "Qui va là ?" et comme je ne recevais pas de réponse, je me suis levé pour aller voir. C'était évidemment très imprudent de ma part, et j'aurais tout d'abord dû faire de la lumière, car je me trouvais dans l'obscurité complète. Soudain, je me suis senti empoigné par deux bras robustes ; j'ai tenté de saisir mon agresseur à la gorge, mais il était nettement plus grand et plus fort que moi. J'ai roulé à terre, et j'ai reçu sur la tête un coup terrible qui m'a fait perdre connaissance.

— Passionnant ! » s'écria Antoine au comble de l'excitation.

Xantippe lui jeta un regard chargé de réprobation, puis il poursuivit :

« Quand je revins à moi, j'étais ligoté et bâillonné dans cette armoire. J'entendis mon agresseur fouiller longuement dans toutes mes affaires, comme s'il cherchait quelque chose. Puis il s'en alla. Les heures me parurent interminables, jusqu'au moment où je vous entendis enfin arriver dans la salle de classe. Mais il m'était impossible de vous appeler. Si vous aviez tardé à me délivrer, je serais mort étouffé. »

Il tâta de nouveau sa bosse avec inquiétude.

« Cette affaire est inexplicable, reprit-il. Que me voulait cet homme ?

— C'était peut-être un voleur ? » suggéra Jules.

Xantippe releva les yeux, tout surpris.

« Un voleur ? répéta-t-il. Il n'y a rien à voler chez moi ! Le peu que je possède est déposé à la banque.

Mais après tout, on ne sait jamais... c'était peut-être un voleur. Allons ! Rangez-moi cette pièce, et nous verrons bien s'il manque quelque chose. »

Les jeunes garçons se mirent aussitôt au travail. Ils redressèrent les meubles, et, en soufflant, les traînèrent jusqu'à leur place habituelle.

De son lit, Xantippe dirigeait les opérations. Il fit procéder à l'inventaire des livres, cartes et images, et, à mesure qu'on les rangeait, il prit des notes sur une tablette. Finalement, les élèves ramassèrent toutes les tablettes dispersées sur le sol, et les jetèrent dans un coffre que le cambrioleur avait vidé.

Quand tout fut terminé, Xantippe examina ses notes, et s'aperçut avec étonnement qu'on ne lui avait volé que quelques livres de mathématiques et deux ou trois images sans la moindre valeur.

« Bizarre ! fit-il en hochant la tête. Tout cela n'a aucun intérêt pour un profane[1], bien que cela représente pour moi une lourde perte. Mon bon vieux Pythagore[2] a disparu, ainsi que le deuxième rouleau des œuvres d'Euclide[2], et mon grand ouvrage sur les triangles rectangles. C'est vraiment bizarre !

---

1. Celui qui n'est pas initié, qui ne connaît pas un domaine particulier.
2. Grands mathématiciens grecs de l'Antiquité.

— Il s'agit probablement d'un voleur qui étudie les mathématiques, lui dit Antoine en guise de consolation. Comme il n'a sans doute pas les moyens de s'acheter des livres, il est entré ici, il t'a assommé... »

Mais Publius l'interrompit en lançant moqueusement :

« Si tu te figures que les bandits s'amusent à étudier les maths !

— Ne vaudrait-il pas mieux appeler la garde ? » demanda alors Flavien d'une petite voix timide.

Xantippe s'y opposa.

« Non, dit-il. Si la garde met son nez ici, j'aurai encore plus d'ennuis. Je devrai subir d'interminables interrogatoires, la fouille de toutes mes affaires. On trouvera toutes sortes de traces... sauf celles du voleur !

— Ça, c'est vrai ! approuva Antoine. Ils ne sont pas malins. L'autre jour, j'ai vu un garde en arrêt devant le grand cadran solaire du Forum. Il était très intrigué parce qu'il ne pouvait plus y lire l'heure. Ce pauvre homme ne s'était même pas aperçu que le soleil était caché par des nuages !

— Tu parles pour ne rien dire ! gronda Xantippe. Un beau jour, ta langue t'attirera une vilaine histoire ! »

Puis il se tourna vers les autres élèves.

« Vous pouvez partir, reprit-il. Et merci encore de m'avoir sauvé la vie.

— Nous n'avons fait que notre devoir », répondit modestement Mucius.

Mais Antoine, oubliant déjà qu'il devait se méfier de sa langue trop bien pendue, s'écria gaiement :

« Nous ne l'avons pas fait exprès, voyons ! Nous étions persuadés que tu avais été métamorphosé en cochon. Ulysse, lui aussi, a été transformé en cochon par la magicienne Circé[1]...

— Allons ! Filez ! dit Xantippe impatienté.

— Retournez à vos places et révisez vos leçons ! » ordonna Mucius en tentant de pousser ses camarades dans la pièce voisine.

Xantippe les rappela :

« Vous pouvez rentrer chez vous. Je vous donne quelques jours de congé, car je vais être obligé de rester alité pour soigner ma jambe. Je vous ferai savoir quand l'école reprendra. »

Heureusement surpris par ces vacances inespérées, les élèves allaient se précipiter vers la porte lorsque Mucius les retint et demanda au maître :

« Alors, tu ne pourras pas aller chez la mère de Rufus aujourd'hui ?

---

1. Dans l'*Odyssée*, Homère raconte cet épisode où la magicienne Circé transforma les compagnons d'Ulysse en cochons pour les retenir sur son île. Ulysse lui résista grâce à une herbe magique.

— Chez qui ? fit distraitement Xantippe.

— Chez la mère de Rufus. Tu devais aller la voir pour lui dire que son fils était renvoyé de l'école.

— Ah ! oui », dit le maître.

Il s'étendit commodément dans son lit, se recouvrit et poussa un soupir de satisfaction.

Pendant un moment il caressa pensivement sa barbiche grise, puis il tourna les yeux vers les élèves.

« À vrai dire, reprit-il, je n'ai jamais eu l'intention d'aller voir la mère de ce jeune chenapan. J'ai seulement voulu lui donner une bonne leçon. J'espère que sa peur lui aura fait sincèrement regretter son acte.

— Il pourra donc revenir à l'école ? demanda Mucius.

— Oui, je l'y autorise. Après tout, ce n'est pas un mauvais élève, et je ne veux pas faire son malheur pour cette unique faute. En tout cas, prenez garde, vous tous ! Si jamais il y a un nouvel acte d'indiscipline aussi révoltant que celui d'hier soir, je vous mets tous à la porte. C'est compris ? Bon ! Et maintenant, filez ! »

Lorsqu'ils se retrouvèrent dans la rue, les jeunes garçons décidèrent d'organiser un jeu pour célébrer cet heureux événement. Mais Mucius intervint :

« Nous devons d'abord aller voir Rufus pour lui annoncer que tout est arrangé. Il se figure encore que Xantippe va venir voir sa mère, et nous ne pouvons pas lui laisser passer une journée entière dans la crainte. Ce ne serait pas chic de notre part.

— Très juste ! dit Jules. Et nous l'emmènerons avec nous. »

Ils descendirent la Rue Large jusqu'au Capitole[1], en longeant le Forum. Le soleil n'était pas encore levé, mais quelques petits nuages se teintaient déjà de rose, et le ciel s'éclaircissait à l'est. Le Forum, qui, pendant la journée, grouillait de monde, était pour l'instant presque complètement désert. On apercevait seulement quelques esclaves qui, un panier à la main, se dirigeaient vers les marchés tout proches ou en revenaient lourdement chargés.

Les enfants traversèrent le Forum, obliquèrent dans une étroite ruelle, puis gravirent un escalier très abrupt qui conduisait au sommet du mont Esquilin. Un peu essoufflés, ils débouchèrent enfin sur la place de Minerve. La demeure de Rufus n'était plus très loin de là.

La place de Minerve était une petite place calme et endormie, à la lisière d'un grand bois de pins. Au centre se dressait le temple de Minerve, un monument simple, dont les seuls ornements étaient une

---

1. L'une des collines de Rome.

colonnade devant l'entrée et trois larges degrés de marbre. Mais ce petit temple était l'objet d'une vénération toute particulière, car il était consacré à l'empereur. En face de lui, dans un parc planté de hauts cyprès, se trouvait la splendide villa du sénateur Vinicius, le père de Caïus.

« Je voudrais bien savoir pourquoi Caïus n'est pas venu à l'école, dit Flavien en regardant la villa.

— Bah ! fit Publius. Il a dû se faire porter malade !

— Faut-il lui dire que nous sommes en vacances ? demanda Jules.

— Ah ! non, répliqua Mucius. Il attendra ! Laissons-le travailler à son pensum, ça ne lui fera pas de mal. Allons ! Suivez-moi ! »

Et ils longèrent rapidement la villa. Quand ils arrivèrent auprès du temple, le soleil venait de se lever et baignait le petit monument de sa lumière dorée.

Soudain Publius s'arrêta net.

« Grands dieux ! » s'écria-t-il avec frayeur, en montrant du doigt le temple.

Et les élèves purent lire sur le mur blanc ces mots tracés à la peinture rouge sang :

CAÏUS EST UN ÂNE.

5

« Ça, c'est l'œuvre de Rufus ! » déclara Jules sans hésiter.

Publius poussa un profond soupir.

« Il a dû avoir un coup de folie ! dit-il. Quand le père de Caïus s'en apercevra, ça fera du vilain ! »

Les jeunes garçons tournèrent craintivement les yeux vers la villa du sénateur. Vinicius était en effet un homme très pieux, qui vénérait son empereur. Et nul n'ignorait qu'il avait à l'époque versé des sommes considérables pour la construction du temple de Minerve.

« Est-ce grave de tracer des inscriptions sur un temple ? demanda innocemment Flavien.

— Et comment ! répliqua Publius. C'est un crime ! »

Antoine s'était approché du mur, et il avait posé le doigt sur le *C* de *Caïus*.

« Belle peinture ! dit-il. Ça tient ! »

Mucius l'écarta pour essayer d'effacer l'inscription avec un coin de sa toge. Mais la peinture était déjà sèche.

« Quelle histoire stupide ! gronda-t-il. Il faut absolument faire disparaître cette inscription !

— Essayons de la gratter avec nos stylets ! » proposa Antoine.

Il était trop tard ! Deux hommes approchaient du temple. Instantanément, Flavien ramassa ses affaires de classe, traversa en courant la place de Minerve et alla se cacher à l'orée du bois, derrière une haie de lauriers-roses. Tous les autres suivirent son exemple.

« Pourquoi as-tu filé ? lui demanda Antoine encore haletant.

— Parce qu'on va croire que c'est nous les coupables.

— Silence ! souffla Mucius. Ils pourraient nous entendre ! »

À travers les rameaux, ils virent les hommes

contourner le temple et passer du côté où se trouvait l'inscription. Puis ils la découvrirent, et l'un d'eux s'écria en riant :

« Regarde ça, Clodius ! On a écrit : "Caïus est un âne" sur le temple ! »

L'autre s'indigna.

« C'est une honte ! gronda-t-il. C'est un crime abominable ! Je ne comprends vraiment pas comment tu peux en rire !

— Allons ! allons ! ne t'énerve pas ! dit le premier en tentant de l'apaiser. On voit bien que c'est un enfant qui a écrit ça. C'est une farce qui ne tire pas à conséquence. Nous avons été jeunes, nous aussi, mon cher Clodius !

— Ce n'est pas une excuse ! protesta violemment le dénommé Clodius. Même quand j'étais jeune, il ne me serait jamais venu à l'idée de profaner un temple ! »

Les deux hommes avaient maintenant contourné l'édifice et se dirigeaient vers l'escalier qui conduisait à l'étroite ruelle. C'étaient deux citoyens d'un certain âge, vêtus de toges d'une blancheur immaculée. L'un était grand et gros, l'autre petit et maigre. Tout en parlant, le gros agitait furieusement les bras.

Soudain il s'arrêta, saisit son compagnon par un coin de sa toge et cria :

« Moi, je te dis que ce n'est pas une farce de gamin ! Ce temple est consacré à l'empereur, et il s'agit là d'un crime de lèse-divinité[1]. Il faudrait couper les deux mains à celui qui a écrit ça. Les deux mains ! Et c'est encore un châtiment trop doux ! »

Visiblement troublé, le maigre recula d'un pas, puis dit sur un ton conciliant :

« Eh bien, oui ! Là ! Tu as raison. Mais cela ne nous regarde pas. Allons plutôt à notre travail. Nous avons beaucoup à faire aujourd'hui. »

Ils se remirent en marche et s'engagèrent dans l'escalier qui descendait vers le Forum.

On vit disparaître successivement leurs jambes, leurs bustes, leurs têtes. Un instant encore le crâne chauve du gros homme brilla sous le soleil matinal, puis il disparut lui aussi.

Les jeunes garçons se redressèrent lentement et se regardèrent avec consternation.

« Quelle brute ! dit Antoine. Vous l'avez entendu ? Il veut que l'on coupe les deux mains à Rufus !

— Mes amis, lança Publius d'un air important, je vous avais bien dit que la chose était grave !

— Bah ! personne ne saura que c'est Rufus le coupable ! objecta Flavien.

---

1. Crime qui porte atteinte à la divinité.

52

— Peu importe, dit Mucius. Il faut effacer cette inscription. »

Et il allait retourner vers le temple lorsque Antoine le retint.

« Attention ! Quelqu'un vient ! » souffla-t-il en montrant la maison de Vinicius.

En effet, la petite porte percée dans le mur du jardin venait de s'ouvrir. Une fillette se faufila dehors.

« Tiens ! C'est Claudia ! dit Mucius avec surprise. Que vient-elle faire ? »

Claudia était la sœur cadette de Caïus. Une fille douce, aimable et pas maniérée. Les garçons qui l'aimaient bien l'avaient souvent acceptée dans leurs jeux jusqu'à présent. Mais elle venait d'avoir onze ans, et on lui avait maintenant donné deux gouvernantes grecques qui veillaient sur son éducation, lui faisaient la classe, et ne lui permettaient plus de sortir seule de la maison.

La fillette traversa en courant la petite place et se dirigea vers les lauriers-roses derrière lesquels étaient cachés les écoliers.

« Attendez-moi ! leur cria-t-elle. Il faut que je vous parle ! »

Elle se glissa lestement à travers les branchages et se trouva devant ses jeunes amis.

« Je vous avais vus par la fenêtre, leur dit-elle,

encore haletante. Il est arrivé une chose terrible !...
Où est Rufus ?

— Chez lui, répondit Mucius.

— Ah ! tant mieux ! Il ne faut surtout pas qu'il
se montre ! Mon père sait tout ! »

Elle paraissait surexcitée ; ses yeux bleus
brillaient d'émotion.

D'habitude, elle était élégamment vêtue et coif-
fée avec soin, mais cette fois elle n'avait passé
qu'une simple tunique et s'était contentée de nouer
avec un ruban ses longues boucles brunes. Aux
pieds, elle portait des sandales beaucoup trop
grandes, qui appartenaient vraisemblablement à sa
mère.

« Explique-toi ! lui dit Mucius. Que sait ton
père ?

— Je vais tout vous raconter, répondit Claudia.
Mais éloignons-nous ! J'ai peur qu'on ne me voie...
Je suis sortie en cachette ! »

Mucius la prit par la main et l'entraîna dans le
bois de pins jusqu'à une petite clairière. Claudia
s'assit sur un rocher qui émergeait des herbes, et les
jeunes garçons firent cercle autour d'elle.

« Ton père sait-il que Rufus a écrit ça sur le
temple ? lui demanda Jules.

— Oui, dit Claudia. Nos esclaves ont découvert
l'inscription ce matin de très bonne heure, en reve-

nant du marché. Ils l'ont dit à notre intendant qui est immédiatement venu avertir mon père. Du coup, mon père a abandonné son petit déjeuner et il est passé dans la grande salle pour regarder par la fenêtre. "Qui a fait cela ?" a-t-il crié. Et comme l'intendant n'en savait rien, mon père s'est mis dans une colère terrible et a hurlé : "Je te fais mettre aux fers si tu ne réponds pas immédiatement !" L'intendant s'est jeté à ses pieds en disant : "Pitié, seigneur ! Ton fils Caïus doit connaître le coupable qui est certainement un de ses camarades de classe." Oh ! j'étais folle de rage qu'il ait jeté les soupçons sur vous !

— Votre intendant n'est qu'un crétin ! lança Antoine.

— Oui, dit Claudia, c'est certain ! Mon père a ensuite appelé le vieil Hérode, le précepteur[1] de Caïus, et lui a ordonné d'aller chercher Caïus à l'école. Mais Hérode a eu l'air tout surpris. "Il est ici, maître, a-t-il répondu. Ce matin, quand je l'ai réveillé, il m'a dit qu'il n'y avait pas d'école aujourd'hui car leur maître était parti en voyage."

— Oh ! le menteur ! rugit Flavien. Et qu'a fait ton père ?

— Il est allé chercher Caïus dans sa chambre et l'a amené dans la grande salle. Caïus était encore

1. Professeur particulier.

55

en chemise de nuit et n'avait pas l'air très rassuré. Mon père lui a montré le temple par la fenêtre et lui a demandé : "Qui a écrit ça ?" Caïus a d'abord paru tout ahuri, puis il a crié : "C'est Rufus, le fils de Praetonius !"

— Le cafard ! s'exclamèrent les garçons indignés.

— Nous lui ferons payer ça ! gronda Mucius. Caïus sera mis en quarantaine. Nous ne jouerons plus avec lui et nous ne lui adresserons plus la parole.

— Pour moi, affirma Antoine, c'est comme s'il était mort.

— Je ne lui parlerai pas non plus, dit Claudia qui paraissait très peinée par l'attitude de son frère. Je suis sûre que c'est un mensonge. Rufus est un très gentil garçon, et il ne s'amuserait pas à barbouiller un temple à la peinture rouge. Pour mon anniversaire, il m'a offert une magnifique poupée d'ivoire. Elle a dû coûter très cher, et pourtant ses parents ne sont pas tellement riches !

— C'est quand même lui qui a fait le coup ! » soupira Mucius.

Et comme Claudia le regardait avec de grands yeux effrayés, Mucius lui raconta alors ce qui s'était passé la veille à l'école. Puis il s'empressa de la rassurer, car il savait qu'elle aimait beaucoup Rufus :

« Ça s'est arrangé. Xantippe lui a pardonné. »

Mais la fillette restait inquiète.

« Malheureusement, tout n'est pas fini ! reprit-elle. Mon père est maintenant dans tous ses états. Et il faudrait avertir Rufus... »

Elle s'interrompit, détourna les yeux.

« L'avertir de quoi ? demanda Mucius.

— Eh bien, voilà ! reprit la fillette. Mon père n'a pas cru Caïus et il a envoyé chercher les deux vigiles qui surveillent le quartier pendant la nuit. Il leur a montré l'inscription et leur a demandé s'ils n'avaient rien remarqué au cours de leurs rondes. Les deux hommes ont affirmé qu'ils n'avaient rien vu. Juste avant la cinquième heure[1] de la nuit ils s'étaient assis devant le temple pour manger un morceau. Il faisait clair de lune, et ils disent que, si l'inscription avait déjà été tracée sur le mur, ils auraient dû la voir. Puis ils ont demandé à mon père s'ils devaient faire un rapport à leurs supérieurs et les informer de la profanation du temple. Mon père leur a dit de n'en rien faire, car il comptait s'occuper lui-même de toute cette histoire.

— Oh ! malheur ! s'écria Flavien.

---

1. Une heure était le douzième du temps écoulé entre le lever et le coucher du soleil : à Rome, suivant les saisons, les heures n'avaient donc pas la même durée. La 5ᵉ heure de la nuit, ici, correspond à un peu plus de 22 heures.

— Oui, dit Mucius, soucieux. Cela promet des ennuis !

— Peut-être ton père veut-il punir lui-même Rufus ? » suggéra Jules.

Claudia secoua tristement la tête en disant :

« Non, il ne veut pas le punir lui-même. Après le départ des veilleurs de nuit, il a demandé à Caïus : "Comment sais-tu que c'est Rufus le coupable ?" Mon frère lui a répondu qu'ils s'étaient disputés à l'école, mais mon père a dit que ce n'était pas une preuve suffisante. Alors Caïus a affirmé qu'il reconnaissait l'écriture de Rufus. Cette fois mon père a été convaincu, et il a dit qu'il irait voir le préfet de la Ville[1] pour dénoncer Rufus. »

Consternés, les jeunes garçons restèrent un long moment silencieux.

Le préfet de la Ville était un homme très redouté, la terreur des malfaiteurs. Généralement, c'était lui-même qui jugeait les affaires, et ses sentences étaient impitoyables.

« Croyez-vous que le préfet punira sévèrement Rufus ? demanda Claudia avec crainte.

— Hélas ! oui, dit sombrement Publius. Il lui est même arrivé de condamner des gens à mort, rien que parce qu'ils avaient ri en regardant passer l'empereur !

---

1. Officier chargé du maintien de l'ordre dans la ville.

— Mais Rufus n'est qu'un enfant ! s'écria Claudia bouleversée. Le préfet ne va tout de même pas faire exécuter un enfant !

— Et pourquoi pas ? lança Antoine. Ça s'est vu ! On m'a raconté qu'on avait jeté une fois trois enfants dans le Tibre, pour les punir de je ne sais trop quoi. »

Claudia le regarda avec épouvante, puis elle se releva d'un bond, cria : « Sale menteur ! » et s'enfuit. Elle traversa en courant la place de Minerve, perdit en chemin ses deux sandales, se baissa pour les ramasser, mais elle ne prit pas le temps de les remettre et poursuivit sa course pieds nus. La porte du jardin se referma derrière elle.

« Qu'est-ce qui lui prend ? demanda Publius. Elle est bien pressée, tout d'un coup ! »

Mucius lança un regard furieux à Antoine.

« Tu n'aurais pas dû lui raconter cette histoire stupide ! lui dit-il.

— Il paraît que c'est vrai ! protesta l'autre.

— Tu n'en sais rien ! De toute façon, ce n'était pas la peine de lui raconter ça. »

Un long moment, les garçons restèrent songeurs. Le soleil matinal passait à travers les arbres, le ciel était d'un bleu pur, le vent chantait dans les pins. Du bas de la colline montait la rumeur de la ville qui s'éveillait.

« Rufus doit fuir, déclara soudain Mucius. Nous allons tout d'abord le cacher dans la grotte qui nous sert de lieu de réunions. Puis ce soir, nous lui apporterons des vêtements d'esclave et nous le conduirons jusqu'au fleuve. Je connais un endroit où il pourra le traverser à la nage sans être vu par les veilleurs des ponts. Il lui faudra marcher pendant la nuit et se cacher le jour pour arriver jusqu'à notre maison de campagne. Je lui donnerai une lettre pour Sallus, notre régisseur[1], et demanderai à ce dernier de le prendre comme esclave – rien qu'en apparence, bien sûr ! Sallus acceptera de le faire pour moi, car il m'aime bien. On n'ira jamais chercher Rufus là-bas, et il pourra y rester jusqu'à ce que tout soit oublié.

— C'est une excellente idée », dit Jules.

Les autres non plus ne ménagèrent pas leurs louanges à Mucius. Mais celui-ci les interrompit.

« Allons ! venez ! leur dit-il. Il nous faut immédiatement aller trouver Rufus. »

Ils traversèrent le bois, arrivèrent devant un escarpement rocheux qu'ils escaladèrent, puis ils suivirent une longue allée calme et ombragée. Enfin ils s'arrêtèrent devant la villa du général Praetonius, une vaste maison vieillotte, aux minuscules fenêtres.

---

1. Le responsable de la gestion d'une propriété d'une famille riche.

La porte leur fut ouverte par un esclave à la barbe blanche qui parut tout surpris de les voir.

« Tiens ! vous n'êtes donc pas à l'école ? leur demanda-t-il gentiment.

— Nous sommes en congé, répondit Mucius. Notre maître s'est foulé la cheville.

— Un accident qui ne fait pas le malheur de tout le monde, pas vrai ? dit le vieil homme en pouffant de rire. Et que désirez-vous ?

— Nous voudrions voir Rufus.

— Je crois qu'il est malade, répondit le vieillard, je ne l'ai pas encore aperçu ce matin. Mais allez voir vous-mêmes. Vous connaissez bien le chemin !

— Il est malade ? » répéta Mucius avec inquiétude.

L'esclave haussa les épaules.

« Je n'en sais trop rien, dit-il. En tout cas, il n'est pas allé à l'école ce matin ; sinon, je l'aurais vu. »

Les garçons entrèrent dans le vestibule, retirèrent leurs sandales, puis pénétrèrent dans la vaste salle commune, plongée dans la pénombre et pauvrement meublée. Ils y avaient passé bien des heures agréables, car Livia, la mère de Rufus, était très hospitalière et invitait volontiers les amis de son fils.

La chambre de Rufus était une toute petite pièce sans fenêtre, qui n'était éclairée que par une imposte au-dessus de la porte. Mucius écarta le rideau.

En apercevant ses amis, Rufus se redressa d'un bond dans son lit.

« Que se passe-t-il ? » demanda-t-il d'une voix inquiète.

Machinalement, il attira la couverture pour recouvrir son buste nu. Chose curieuse, ses cheveux étaient mouillés comme s'il s'était plongé la tête dans un baquet d'eau.

« Il te faut filer au plus vite », lui dit Mucius.

Rufus pâlit.

« Filer ? Mais... pourquoi ?...

— Allons ! tu le sais très bien, grogna Publius sur un ton peu aimable.

— Je te jure que je ne sais rien ! » protesta faiblement Rufus.

Antoine se pencha sur lui et chuchota :

« Tu es en danger de mort, à cause de ce que tu as écrit sur le temple ! »

Rufus ouvrit de grands yeux.

« J'ai écrit quelque chose sur un temple ? Moi ? Vous êtes complètement fous !

— Ne mens pas ! lui dit sévèrement Jules. Tu as écrit : "Caïus est un âne" sur le temple de Minerve. Ne savais-tu pas qu'il était consacré à l'empereur ? »

Décontenancé, Rufus regarda ses amis à la ronde, puis il eut un petit rire bref.

« Ah ! je vois ! dit-il. Vous voulez me faire marcher ? Eh bien, ça ne prend pas.

— Nous ne sommes pas venus ici pour plaisanter, répliqua sèchement Mucius. La chose est bien trop grave. Dépêche-toi de t'habiller, et suis-nous ! »

Cette fois, Rufus s'emporta.

« Laissez-moi tranquille ! hurla-t-il. Je vous jure que je n'ai jamais rien écrit sur un temple. Ce doit être quelqu'un d'autre. Et je veux bien mourir à l'instant si je mens ! »

6

Les jeunes garçons furent impressionnés par l'accent de sincérité de Rufus. Jusqu'à présent, ils avaient eu la conviction que leur ami était l'auteur de l'inscription, et l'idée que ce pût être quelqu'un d'autre ne les avait même pas effleurés.

« Jure-le ! ordonna Mucius.

— Je le jure ! » dit Rufus d'une voix ferme et en levant la main droite.

Mucius se retourna alors et considéra ses compagnons d'un œil soupçonneux.

« Ne serait-ce pas l'un de vous ? demanda-t-il sur un ton menaçant.

— En tout cas, ce n'est pas moi ! répliqua Publius en prenant un air offensé.

— Moi, reprit Rufus, j'ai si souvent répété à Caïus qu'il était un âne, que je n'éprouve pas le besoin de l'écrire encore sur les murs.

— Peut-être est-ce un esclave de Vinicius qui a fait le coup ? suggéra Antoine. Caïus lui aura joué quelque vilain tour, et, pour se venger, l'esclave aura écrit : "Caïus est un âne" sur le temple.

— Aucun esclave de Rome n'oserait profaner un sanctuaire ! » objecta Jules.

Mais Antoine n'en démordit pas aussi facilement.

« L'esclave ne savait pas qu'il s'agissait d'un temple, reprit-il. C'est un nouveau venu, un Germain[1] par exemple. Or, les Germains n'ont pas de temples ; ils font des sacrifices à leurs dieux sous de grands arbres, au clair de lune, en dansant, en chantant et en buvant dans des cornes de buffles.

— Si c'est un nouveau venu, comment connaîtrait-il le latin ? » demanda Publius avec un petit rire moqueur.

Embarrassé, Antoine ne sut que répondre.

« À quoi bon discuter ? dit tranquillement Jules.

---

1. Habitant de la Germanie, qui correspond à peu près à l'Allemagne actuelle.

Claudia nous a dit que Caïus avait reconnu l'écriture de Rufus.

— C'est un mensonge ! protesta celui-ci, au comble de l'indignation.

— Caïus affirme pourtant qu'il connaît très bien ton écriture, dit à son tour Mucius.

— Quoi ? fit Rufus avec un rire contraint. Ce pauvre Caïus est bien trop bête pour ça ! C'est tout juste s'il sait lire ! »

Il fut le seul à rire de sa plaisanterie. Ses camarades continuaient à le considérer avec défiance. Ils hésitaient toujours à le croire. Rufus se renfrogna, réfléchit un instant, puis soudain eut une idée.

« Eh bien, dit-il, je vais vous prouver mon innocence. Je vais écrire sur une tablette : "Caïus est un âne " et vous pourrez bien voir que ce n'est pas la même écriture que sur le temple. »

Tous furent d'accord. On donna à Rufus une tablette et un stylet, et il se mit à écrire avec application. Lorsqu'il eut achevé son œuvre, il la tendit à Mucius en lui disant :

« Voilà ! Comparez ! »

Les avis furent très partagés. Antoine prétendit que l'écriture était identique à celle du temple ; Flavien soutenait le contraire. Les autres n'osaient trop se prononcer. Finalement, Antoine mit fin à la discussion en proposant de courir jusqu'au temple et de comparer les deux écritures. Et il fila, suivi par Publius qui, méfiant de nature, voulait juger de ses propres yeux.

Après leur départ, il y eut dans la pièce un long silence embarrassé. Rufus évitait de regarder ses camarades, et il contemplait d'un air absent ses orteils qui émergeaient de la couverture. Au bout d'un moment, il finit par demander :

« À propos, pourquoi n'êtes-vous pas à l'école ?

— Tonnerre ! s'écria Mucius. Nous avons failli oublier de te dire que Xantippe t'avait pardonné ! »

Rufus releva les yeux.

« Quoi ? fit-il avec stupeur. Il m'a pardonné ? Alors, il ne viendra pas voir ma mère ?

— Non, dit Jules. Il a seulement voulu te faire peur. »

Rufus semblait paralysé d'étonnement.

« Ah ! si j'avais su !... » murmura-t-il.

Mais les autres ne prirent pas garde à sa réflexion. Et Mucius reprit :

« Après les vacances, tu pourras revenir à l'école.

— Car nous sommes en vacances ! lança joyeusement Jules, qui entreprit alors de raconter l'agression dont Xantippe avait été victime.

— Et par qui a-t-il été attaqué ? demanda Rufus au comble de la surprise.

— C'est très mystérieux, dit Mucius. On ne lui a volé que quelques livres de mathématiques et des images. Rien d'autre. »

Là-dessus il parla à Rufus de leur rencontre avec Claudia, et il le mit au courant des menaces proférées par le sénateur. Le pauvre garçon fut épouvanté en apprenant que celui-ci voulait le dénoncer au préfet de la Ville.

« Mais je suis innocent ! gémit-il. Je vous jure que je suis innocent !... »

À ce moment-là, ils entendirent les pas de leurs camarades qui revenaient. Antoine pénétra en courant dans la pièce et brandit la tablette.

« J'avais raison ! cria-t-il. C'est la même écriture !

— Exact ! » approuva Publius.

Mucius se tourna vers Rufus.

« Tu nous as donc menti ! gronda-t-il.

— Mais puisque je vous dis que ce n'est pas moi ! » hurla l'autre.

Puis soudain ses yeux s'agrandirent, comme si une idée surprenante venait de lui passer par l'esprit.

« Maintenant je comprends ! murmura-t-il d'une voix sourde. On a imité mon écriture !

— Et pourquoi aurait-on fait ça ? demanda Flavien.

— Eh bien, pour faire retomber les soupçons sur moi !

— Peu vraisemblable, dit Jules. Qui donc aurait fait le coup ?

— Comment voulez-vous que je le sache ! »

Mucius finit par s'impatienter.

« Allons ! assez de bavardages ! déclara-t-il. Tu dois fuir au plus tôt. Nous avons trouvé un endroit où tu pourras te cacher.

— Non, je ne fuirai pas ! répliqua Rufus. Si je fuyais, tous les gens croiraient que je suis coupable. »

Cette fois, Mucius fut incapable de maîtriser son irritation, et il apostropha violemment son camarade.

« Tu es complètement fou ! cria-t-il. Tu veux peut-être qu'on te tranche les deux mains ? Ou qu'on te jette dans le Tibre ? »

Sans répondre, Rufus se tourna vers le mur, rabattit la couverture sur sa tête, et les jeunes garçons n'entendirent plus que ses sanglots étouffés.

« Nous ne demandons qu'à te croire, dit alors Jules avec douceur. Mais il faudrait que le faussaire – à supposer qu'il y en ait eu un – ait pu étudier ton écriture. Comment aurait-il fait ? »

Rufus se redressa d'un bond dans son lit.

« La tablette ! cria-t-il. La tablette sur laquelle

j'avais écrit : "Caïus est un âne", et que j'avais accrochée au mur de la classe !... peut-être quelqu'un l'a-t-il volée pour avoir un modèle de mon écriture !

— On n'a volé à Xantippe que des livres et des images », dit Jules.

Le visage de Rufus se rembrunit, mais au même instant Antoine s'écriait :

« La tablette avait disparu ce matin ! Rappelez-vous ! Elle n'était plus au mur de la classe ! »

Cette bonne nouvelle, qui semblait en faveur de Rufus, réjouit tous les élèves.

« Retournons immédiatement à l'école, proposa Mucius. Si l'on a volé la tablette, c'est que Rufus a raison. Cela prouvera qu'un faussaire a imité son écriture. »

Puis, s'adressant à Rufus :

« Habille-toi vite, lui dit-il, et suis-nous. »

Rufus ne bougea pas.

« C'est que je ne peux pas ! balbutia-t-il. J'ai... j'ai attrapé un gros rhume... »

Et il fut pris au même instant d'une violente quinte de toux.

« Au fond, dit Jules, il est peut-être plus prudent qu'il ne se montre pas.

— C'est vrai, reconnut Mucius. Reste là. Nous ne tarderons pas à revenir. »

Puis les jeunes garçons entassèrent dans un coin leurs affaires de classe et quittèrent la chambre.

Dès qu'ils se furent éloignés, Rufus se pencha pour regarder sous son lit, puis il s'allongea de nouveau en poussant un soupir de soulagement.

*
* *

Xantippe parut surpris de voir revenir ses élèves. Il était couché et lisait. Sa jambe droite était entourée de compresses. Dans la minuscule cuisine, une grosse Éthiopienne préparait le déjeuner du maître. Lorsqu'elle entendit les enfants, elle passa la tête à l'angle du mur et leur fit un large sourire.

« Professeur malade, pas d'école ! dit-elle en gloussant de rire. Pauvre Missié, lui beaucoup mal à sa jambe ! »

Elle roula plusieurs fois des yeux blancs pour exprimer sa compassion, puis elle retourna à ses casseroles.

« Que me voulez-vous ? » grogna Xantippe, mécontent d'être dérangé dans sa lecture.

Mucius le pria de bien vouloir leur remettre la tablette de Rufus. Et comme le maître ne paraissait pas comprendre de quoi il s'agissait, le jeune garçon précisa :

« Nous voudrions la tablette sur laquelle Rufus avait écrit : "Caïus est un âne."

— Et que voulez-vous en faire ? demanda Xantippe sur un ton soupçonneux.

— Rufus voudrait la récupérer pour la détruire, répondit Mucius, en mentant effrontément. Il a honte de ce qu'il a fait. »

En cours de route, les élèves avaient décidé de ne pas parler à Xantippe de la profanation du temple, car ils craignaient que cela ne ranimât la colère du maître contre Rufus.

« Ah ! ah ! fit Xantippe tout réjoui. Il a honte, ce garnement ? Eh bien, ce n'est pas trop tôt ! Sa tablette doit se trouver dans ce bahut, là-bas.

— N'est-elle plus au mur de la classe ? » demanda Jules d'un petit air innocent.

Il voulait seulement savoir pour quelle raison Xantippe l'avait enlevée.

« Non, dit le maître. De telles stupidités n'ont rien à faire sur les murs de mon école. Je l'ai jetée hier soir dans ce bahut, et vous l'y avez remise avec les autres, tout à l'heure, quand vous avez rangé la pièce. »

Les élèves se précipitèrent sur le bahut, le fouillèrent de fond en comble, mais sans retrouver la tablette.

« Elle a disparu ! annonça Mucius qui jubilait intérieurement.

— C'est que vous avez dû la ranger ailleurs ! gronda Xantippe. Cela ne m'étonne pas de vous : pas de discipline, pas d'ordre ! »

Les jeunes garçons cherchèrent encore la tablette pendant un bon moment, sans plus de succès.

« Le voleur a dû la prendre, dit alors Mucius.

— Drôle de voleur ! fit le maître avec surprise. Il ne tirera pas un sou de cette tablette ! Décidément, toute cette affaire est bien bizarre ! »

Et il reprit sa lecture, sans plus se soucier des élèves. Ceux-ci allaient quitter la pièce lorsque Mucius aperçut quelque chose de brillant sous l'armoire. Il se baissa et ramassa une courte chaîne d'or, très épaisse, qui portait une plaquette d'or à une extrémité, et à l'autre un crochet distordu. Il alla la présenter à Xantippe.

« Est-ce à toi ? lui demanda-t-il.

— Non », dit le maître, qui examina la chaîne en réfléchissant. Puis il eut soudain un petit rire sec, et il ajouta : « Mais je crois deviner à qui cette chaîne appartient.

— À qui donc ?

— Elle appartient au voleur ! »

7

« Maintenant, je me souviens, reprit Xantippe. Quand j'ai voulu saisir mon agresseur à la gorge, j'ai attrapé quelque chose de dur qui a claqué sous mes doigts. Ce devait être cette chaîne qui, ensuite, a glissé sous l'armoire. »

Il observa attentivement la chaîne, puis poursuivit :

« On porte ces chaînes-là au col d'un manteau de pluie pour le fermer autour du cou. Regardez ! Elle était cousue au col par cette petite plaque, car on aperçoit encore des brins de laine dans les trous. Il doit y avoir sur le manteau une autre plaquette qui porte un anneau. Quand j'ai tiré sur la chaîne, le crochet a cédé et il est sorti de l'anneau.

— Et que signifient ces drôles de signes ? demanda Antoine en touchant du doigt la plaquette d'or.

— Ce sont des hiéroglyphes[1], répondit le maître, l'écriture de l'ancienne Égypte.

— Nous n'avons qu'à découvrir à qui appartient la chaîne, et nous aurons trouvé le voleur ! s'écria Mucius.

— Ridicule ! dit Xantippe. Rome compte un demi-million d'habitants, et il est impossible de retrouver le manteau sur lequel était cousue la chaîne. Garde-la, je t'en fais cadeau. »

Tout heureux de l'aubaine, Mucius fourra la chaîne dans sa poche. Là-dessus, la Négresse fit son apparition en apportant des linges mouillés pour renouveler les compresses autour de la jambe du blessé, et Xantippe renvoya alors les écoliers.

Sur le chemin du retour, lorsqu'ils passèrent auprès du grand cadran solaire du Forum, ils virent que la troisième heure du jour avait déjà commencé.

« Dépêchons-nous ! dit Jules. Rufus doit terriblement s'inquiéter.

---

1. Caractères d'écriture de l'Égypte ancienne : ils se présentaient sous forme de dessins figuratifs (lion, homme qui danse...) ou géométriques.

— Il attendra, répliqua Mucius. Auparavant, il nous faut aller voir Vinicius. »

Et comme les autres ne paraissaient guère enthousiasmés par cette idée, il ajouta :

« La première chose à faire, c'est de l'empêcher d'aller trouver le préfet de la Ville. Nous lui dirons qu'un faussaire a imité l'écriture de Rufus et que notre camarade est innocent.

— Nous n'avons aucune preuve ! » objecta Publius.

Mais Mucius avait déjà réfléchi à la question.

« Vinicius a été juge dans le temps, expliqua-t-il à ses amis. Nous lui apporterons la seconde tablette sur laquelle Rufus a écrit : "Caïus est un âne" et nous lui demanderons de comparer son écriture avec celle de l'inscription. Il pourra ainsi constater qu'il s'agit d'un faux. »

Cette idée leur parut excellente à tous. Mucius chargea Publius, qui était un très bon coureur, d'aller chercher la tablette de Rufus, et lui donna rendez-vous devant la villa de Vinicius. Très flatté d'avoir été prié d'assumer cette importante mission, Publius fila comme une flèche.

Entre-temps, le Forum s'était animé. Il s'en élevait une rumeur semblable à celle qui emplissait le

Grand Cirque[1] les jours de courses de chars. Partout, on apercevait des groupes de citoyens qui discutaient. Leurs longues toges se gonflaient au vent.

Près du lourd bâtiment des archives municipales, un groupe plus important s'était rassemblé. La curiosité des gamins fut mise en éveil, et ils fendirent la foule pour passer au premier rang. Mais ils furent déçus, car il n'y avait rien d'autre à voir que le journal mural du matin. Sur de grands panneaux, on venait d'afficher les dernières nouvelles, et les gens accouraient de tous côtés pour en prendre connaissance.

Dans les tout premiers rangs, il y avait un certain nombre d'esclaves fort bien vêtus, les copistes des riches patriciens, qui notaient les nouvelles sur des plaquettes de cire pour les rapporter à leurs maîtres.

Les jeunes garçons allaient s'éloigner lorsque Mucius se figea sur place et contempla fixement l'un des panneaux.

« Regardez ! souffla-t-il aux autres. Il est question du temple de Minerve !

— Où donc ? demanda Flavien.

— Chut ! pas si fort ! fit Mucius entre ses dents.

---

1. Grande place, à Rome ; sa forme est rectangulaire et l'un des bouts est arrondi. On y donnait des jeux et des courses de chars.

Là. Au milieu des autres nouvelles, sur le troisième panneau ! »

Comme les informations étaient écrites en caractères assez petits, les trois écoliers mirent un moment avant de découvrir la nouvelle. Puis, avec effroi, ils lurent les lignes suivantes :

Cette nuit, une insolente main enfantine a profané le temple de Minerve consacré à notre empereur. Sur le mur oriental du sanctuaire, on a inscrit, à la peinture rouge : « Caïus est un âne. » Cet acte impie ne peut manquer de susciter la plus vive indignation parmi tous nos honorables concitoyens. Il est grand temps que les autorités responsables prennent d'énergiques mesures pour combattre la lamentable mentalité de la jeunesse d'aujourd'hui. Comme ce temple est situé juste en face de la villa du respectable sénateur Vinicius, nous ne pensons pas nous tromper en supposant que l'inscription injurieuse est dirigée contre son fils Caïus. Le jeune Vinicius étant un élève de l'École Xanthos, ne faudrait-il pas chercher le coupable parmi ses condisciples ? Ne se serait-il pas disputé tout récemment avec l'un d'eux ? Nous espérons que le sénateur obtiendra sans tarder de son jeune fils des indications qui lui permettront de démasquer le coupable et de livrer celui-ci à la justice. L'opinion publique ne sera satisfaite que lorsque ce jeune criminel aura subi un juste châtiment.

UN FERVENT ADMIRATEUR DE L'EMPEREUR.

8

Les jeunes garçons regardèrent craintivement autour d'eux, mais, par bonheur, les gens ne remarquèrent pas que des élèves de l'École Xanthos se trouvaient dans leurs rangs.

« S'ils nous reconnaissent, ils vont nous mettre en pièces ! » murmura Antoine d'une voix étranglée.

Flavien pâlit et se fit le plus petit possible.

« Suivez-moi ! » chuchota Mucius.

Puis, tout en sifflotant d'un air innocent, il se dirigea vers l'escalier de marbre, gravit les marches et pénétra sous le péristyle. Les autres firent de même. Dès qu'ils furent à l'abri, ils filèrent comme des lièvres jusqu'à l'autre extrémité de la colonnade, descendirent les marches quatre à quatre et firent un grand détour pour éviter le centre du Forum. Ce fut seulement lorsqu'ils arrivèrent dans la ruelle de la Subure qu'ils se sentirent quelque peu rassurés et ralentirent leur allure.

« Avez-vous vu les esclaves qui copiaient les nouvelles ? demanda Antoine avec un petit rire. Bientôt la ville entière saura que Caïus est un âne !

— Il devait y avoir parmi eux les copistes de Vinicius, dit Flavien, très inquiet.

— Mais très certainement ! répondit Mucius. Il faut les devancer. Allons ! Vite ! »

Et il se remit à courir.

Publius les attendait devant la villa de Vinicius.

« Ma parole ! s'écria Mucius. Tu es un vrai coureur de Marathon[1] !

— Peuh ! je ne me suis pourtant pas pressé ! répondit Publius qui reprenait péniblement son souffle.

— Qu'a dit Rufus lorsqu'il a su ce que nous comptions faire ?

_____

1. Les Grecs remportèrent une victoire contre les Perses à Marathon, en 490 av. J.-C. On raconte qu'un homme fut envoyé à Athènes, distant de 42 km de Marathon, pour annoncer la nouvelle. Arrivé à destination, après avoir couru sur tout le trajet, il s'écroula, mort d'épuisement.

— Il dormait. J'ai pris la tablette et suis venu immédiatement ici. »

Mucius tira l'anneau de bronze fixé sur la porte d'entrée, et un robuste portier vint leur ouvrir. Il avait l'allure d'un ancien gladiateur.

« Que voulez-vous ? demanda-t-il.

— Nous désirons parler au sénateur, répondit Mucius.

— Alors, quoi ? grogna l'homme. Vous vous figurez qu'il reçoit n'importe qui ? Qui êtes-vous ?

— Des élèves de l'École Xanthos. »

Cela n'impressionna guère le portier.

« Oh ! oh ! fit-il. Ça, c'est formidable ! Notre maître sera certainement très flatté. Est-ce que vous avez rendez-vous avec lui ?

— C'est inutile, il nous connaît, répliqua Mucius. Nous venons à cause de Rufus.

— Tiens ! tiens ! Et qui est donc ce Rufus ?

— Rufus est notre ami. C'est le fils du général Praetonius », répondit fièrement le jeune garçon.

Le portier se gratta la tête, parut réfléchir.

« Marcus Praetonius ? répéta-t-il. Ah ! ah... N'est-ce pas ce général qui vient de se faire battre par les Gaulois ?

— On ne peut pas le reprocher à son fils ! protesta Mucius, blessé.

— Voulez-vous filer, bande de galopins ! » cria l'homme en tentant de repousser la porte.

Mais, par chance, au même instant, Claudia apparaissait avec l'une de ses gouvernantes dans le vestibule d'entrée.

« Claudia ! appela Mucius. Viens à notre aide ! Il ne veut pas nous laisser entrer ! »

Claudia accourut aussitôt et ordonna au portier de livrer passage aux jeunes garçons.

« Ce sont mes amis », ajouta-t-elle.

Le portier se fit tout aimable. Il ouvrit largement la porte en criant :

« Le pied droit d'abord, s'il vous plaît ! »

On pensait en effet que cela portait malheur de pénétrer du pied gauche dans une maison.

Claudia était fort élégante. Elle avait revêtu une tunique rose flamant garnie de broderies multicolores, et ses pieds étaient chaussés de jolies sandales de soie.

« Nous ne venons pas pour jouer, lui dit gravement Mucius. Nous voudrions voir ton père, car nous avons maintenant la preuve que Rufus est innocent.

— Oh ! tant mieux ! s'écria la fillette ravie en battant des mains. Enlevez vos sandales et suivez-moi. »

Les jeunes garçons ôtèrent rapidement leurs sandales, puis, après avoir lancé un regard triomphant au cerbère[1], ils pénétrèrent avec la fillette dans un vaste atrium[2]. Claudia les y laissa pendant qu'elle allait prévenir son père de leur visite.

Dès qu'elle eut disparu, les enfants remirent en ordre les plis de leurs toges et s'observèrent les uns les autres d'un œil critique afin de voir si leur tenue était assez convenable pour rendre visite à un sénateur.

Flavien s'approcha du jet d'eau qui dansait dans une vasque[3] au milieu de l'atrium, il mouilla ses mains et se les passa sur les cheveux. Les autres suivirent son exemple.

« Bonjour ! » cria soudain une voix derrière eux.

Ils se retournèrent et aperçurent entre deux colonnes Caïus qui leur souriait d'un air embarrassé.

« Que faites-vous là ? » reprit Caïus sur un ton d'enjouement qui sonnait faux.

Les gamins se contentèrent de lui lancer des regards hostiles.

« Alors, quoi ? Vous êtes muets ? » insista Caïus.

Nul ne lui répondit. Alors Caïus rougit de colère, haussa les épaules et, en grommelant : « Bande d'idiots ! », il tourna les talons et disparut.

---

1. Gardien au regard sévère. Le mot vient du nom du chien Cerbère, qui, dans la mythologie grecque, garde les Enfers.
2. Cour intérieure des riches villas romaines.
3. Grand bassin.

« Il a dû comprendre que nous étions fâchés avec lui, déclara Flavien, très satisfait.

— Et ce n'est pas fini ! gronda Mucius. Nous avons un compte à régler !

— Nous devrions l'attirer dans notre caverne et l'y enfermer », suggéra Antoine.

Juste à ce moment, Claudia écarta les pans d'un rideau et les appela :

« Venez vite ! Mon père vous attend ! »

Les jeunes garçons accoururent, et Claudia les fit entrer dans une vaste salle magnifiquement aménagée. Le sol était recouvert d'épais tapis, et de tous côtés l'on voyait de larges lits tendus de soie. Les murs étaient ornés de fresques aux vives couleurs.

Claudia leur montra une porte encadrée par deux statues de marbre.

« Mon père est là, dit-elle. Entrez !

— De quelle humeur est-il ? demanda prudemment Antoine.

— Je n'en sais trop rien, reconnut la fillette. Je ne lui ai parlé qu'à travers la porte, et il avait l'air plutôt grognon. Auriez-vous peur de lui ?

— Bien sûr que non ! » protesta Mucius, vexé.

Ce qui ne l'empêcha pas de regarder du côté de la porte avec un peu d'inquiétude.

« Alors, entrez ! dit Claudia. Il ne vous mangera pas. »

Mucius poussa la porte et entra.

Le sénateur était étendu sur une table de marbre et se faisait masser le dos par deux esclaves. Il souleva la tête et demanda rudement :

« Eh bien, que me voulez-vous ? »

Ses cheveux blanc de neige et ses gros sourcils charbonneux faisaient un curieux contraste. Sans se soucier des nouveaux venus, les esclaves continuaient à marteler son dos adipeux du tranchant de la main.

« Nous venons te voir à cause de Rufus », dit Mucius.

Le sénateur lui lança un regard menaçant.

« Si vous avez l'intention de me raconter des mensonges, dit-il, je vous conseille de filer au plus vite ! »

Bien qu'il fût fâcheusement impressionné par ce mauvais début, Mucius reprit d'une voix ferme :

« Nous sommes les amis de Rufus, et nous fréquentons comme lui l'École Xanthos...

— Ça, je le sais ! interrompit le sénateur. Et pourquoi Rufus n'est-il pas venu avec vous ?

— Il est malade.

— Allons donc ! grogna Vinicius. Dites plutôt qu'il se cache parce qu'il n'a pas la conscience tranquille !

— Rufus est innocent ! affirma Mucius. Nous en mettrions notre main au feu. »

Le sénateur se redressa. Il écarta d'un geste les deux esclaves.

« Jeunes gens, dit-il, libre à vous de vous brûler les doigts dans cette affaire. Mais si vous essayez de trouver des excuses à votre ami, vous perdez votre temps auprès de moi ! »

Là-dessus, il se fit donner une tunique, l'endossa, puis, malgré sa corpulence, il sauta agilement au bas de la table. Il se baissa, ramassa sur le sol un paquet de tablettes de cire et les mit sous le nez de Mucius.

« Voilà le journal, dit-il. Mon copiste vient de me l'apporter. Toute la ville est au courant de la profanation du temple. On attend de moi que je démasque le coupable et que je le livre aux autorités. De ce pas, je me rends chez le préfet de la Ville pour dénoncer Rufus. Il a grandement offensé notre empereur bien-aimé, et il doit expier sa faute. Je ne puis agir autrement, bien que Praetonius soit mon ami.

— Rufus nous a juré qu'il était innocent ! protesta Mucius.

— Eh bien, c'est un parjure. Caïus m'a affirmé qu'il reconnaissait son écriture, et mon fils n'est pas un menteur.

« — On a imité son écriture ! dit Mucius. Nous en avons la preuve ! »

Et il parla au sénateur du vol de la tablette chez Xantippe. À son tour, Antoine intervint, et il présenta à Vinicius la tablette que Publius était allé chercher chez leur ami.

Le sénateur la contempla avec stupéfaction.

« Comment ! s'écria-t-il. Ce garnement a encore écrit là-dessus : "Caïus est un âne." Mais c'est une obsession !

— Nous lui avons dit de le faire, se hâta d'expliquer Mucius. Cela nous permettra de comparer son écriture avec celle de l'inscription.

— Bon, bon, grommela Vinicius. Et qui donc, d'après vous, aurait imité son écriture ?

— Nous n'en savons rien. Mais comme tu as été juge dans le temps, nous avons pensé que tu pourrais comparer les deux écritures et voir s'il s'agit d'un faux. »

Le sénateur resta un long moment silencieux. Il s'était attendu à toutes sortes de mensonges, mais cette idée d'un faussaire imitant l'écriture de Rufus était si surprenante qu'il ne croyait pas les enfants capables de l'avoir lancée au hasard. Il s'approcha de la fenêtre et contempla alternativement la tablette de cire et le temple.

« Je trouve pourtant que ces deux écritures se ressemblent fortement ! dit-il enfin.

— C'est assez normal, répliqua Publius avec un petit rire. Puisque l'une est la copie de l'autre ! »

Vinicius fit demi-tour, se plaça devant les jeunes garçons et les observa avec sympathie. Il était impressionné par le fait qu'ils eussent pris aussi virilement la défense de leur camarade. Et leurs arguments méritaient tout de même qu'on les examinât.

« Bon ! dit-il. Je vais vous donner une chance. »

Il se tourna vers un esclave qui pendant toute cette conversation était resté debout au fond de la pièce.

« Sulpicius, dit-il, tu vas faire un saut jusque chez Scribonus et tu lui demanderas de venir immédiatement ici. S'il était déjà à la Bibliothèque d'Apollon, tu prendrais une litière et tu le ramènerais. »

L'esclave sortit de la salle. Vinicius s'assit et invita les jeunes garçons à faire de même.

« Scribonus, leur expliqua-t-il, est le directeur de la Bibliothèque d'Apollon. C'est le meilleur expert en écriture de Rome. S'il dit qu'il s'agit d'un faux, nous pourrons le croire. Mais s'il dit le contraire...

— C'est un faux ! » affirma Mucius.

Le sénateur eut un léger sourire.

« Attendons, dit-il. Nous verrons bien. »

Les élèves se sentaient maintenant rassurés. Vini-

cius les interrogea sur leurs parents, leur école ;
puis il leur demanda ce qu'ils comptaient faire plus
tard, et il conversa familièrement avec eux jusqu'à
l'arrivée de Scribonus.

C'était un petit homme âgé qui portait une
longue barbe grise. Vêtu d'une tunique crasseuse
qui n'avait pas dû aller au blanchissage depuis bien
longtemps, il avait l'air d'un mendiant, mais le sénateur le salua pourtant avec toutes les marques d'un
profond respect.

« Je te remercie d'avoir bien voulu venir », lui
dit-il.

Et il entreprit de lui expliquer ce qu'il attendait
de lui. Scribonus se fit remettre la tablette, l'approcha de ses yeux et demanda sur un ton grognon :

« Caïus est un âne ? Qui donc est ce Caïus ?

— C'est mon fils ! gronda le sénateur dont la
mine s'assombrit.

— C'est bien ce que je pensais », répliqua tranquillement Scribonus.

Il examina encore la tablette, puis déclara :

« Ces mots ont été écrits par un jeune garçon
d'une douzaine d'années. Écriture encore gauche,
mais déjà bien caractérisée. Où donc se trouve le
faux en question ?

— Là-bas, sur le mur du temple », dit Vinicius
en faisant un geste vers la fenêtre.

Scribonus s'approcha de la fenêtre, mais il fit aussitôt demi-tour.

« C'est beaucoup trop loin pour moi, grogna-t-il. Je suis myope. Allons voir cela sur place. »

Et il quitta la pièce, suivi par Vinicius et les jeunes garçons. Lorsqu'ils passèrent dans le vestibule, Claudia se joignit à eux. Quelques instants plus tard, ils se trouvaient tous réunis devant le temple de Minerve. Scribonus étudia une nouvelle fois la tablette, puis il s'approcha du mur, au point que son nez le touchait presque, et il examina longuement, sans mot dire, les grosses lettres peintes en rouge.

« La partie supérieure des deux *A* est emplie de peinture, constata-t-il. Mais cela ne peut me tromper. »

Les écoliers retenaient leur souffle en attendant la sentence de l'expert.

Scribonus prit son temps. Il tira de sa poche un grand mouchoir à carreaux et se moucha longuement ; encore une fois il regarda la tablette de cire, puis le mur ; enfin, après avoir toussoté à plusieurs reprises d'un air important, il déclara :

« Il ne s'agit nullement d'un faux. C'est la même écriture. »

9

Indigné, Vinicius se retourna vers les jeunes garçons et leur cria d'une voix menaçante :

« Amenez-moi immédiatement votre Rufus ! j'ai deux mots à lui dire ! »

Puis il remercia Scribonus de s'être dérangé, prit sa fille par la main et rentra avec elle dans la maison.

Scribonus glissa la tablette dans la main de Jules et s'éloigna. Les gamins le suivirent d'un regard vengeur.

« Il ne manquait plus que ça ! soupira Publius.

— Oui, murmura Mucius. Rufus nous a donc

menti ! J'aurais pourtant juré qu'il nous disait la vérité !

— À quoi bon discuter ? dit à son tour Jules. Le sort en est jeté. Scribonus nous a porté le coup mortel. Je vois l'avenir de ce pauvre Rufus sous un jour bien sombre !

— Peut-être aura-t-il le temps de fuir ? dit Flavien.

— Trop tard ! répondit Mucius. D'ailleurs il ne veut pas fuir. Il ne nous reste plus qu'à aller le chercher pour l'amener au sénateur. »

Cette fois, ils étaient beaucoup moins pressés, et ils marchaient si lentement qu'il leur fallut un long quart d'heure pour arriver devant la maison de Praetonius. Le vieil esclave qui leur ouvrit avait maintenant le visage pâle et défait.

« Je suis heureux que vous soyez revenus, leur dit-il d'une voix tremblante. Ma maîtresse voudrait vous voir. Entrez vite ! Un terrible malheur est arrivé... »

Les écoliers éprouvèrent une sensation désagréable au creux de l'estomac. Ils étaient si troublés qu'ils en oublièrent de retirer leurs sandales, comme l'exigeait l'usage. Une fois dans la grande salle commune, ils restèrent indécis, groupés auprès de la porte.

Par l'ouverture du toit, les rayons du soleil matinal tombaient sur un petit autel domestique, dressé dans un coin de la pièce, et orné de fleurs printanières. Un chat dormait sur un lit. Tout cela donnait une telle impression de paix que les enfants furent sur le point de croire que le vieillard avait voulu plaisanter.

Mais ils aperçurent alors Livia, la mère de leur ami. Assise dans un fauteuil, elle pleurait silencieusement, et plusieurs esclaves se tenaient à côté d'elle avec des visages consternés. Lorsque Livia vit les jeunes garçons, elle se leva, sécha ses larmes avec un petit mouchoir et vint à leur rencontre.

« On vient d'arrêter Rufus ! » murmura-t-elle d'une voix brisée.

Atterrés par cette nouvelle, les écoliers ne surent que dire.

« On prétend qu'il a profané un temple ! reprit Livia. Il y a un moment, un officier et deux soldats sont venus l'arrêter pour le conduire en prison. Rufus était dans sa chambre, mais quand il a entendu que l'on parlait de lui, il est rentré dans cette pièce, enroulé dans sa couverture. "Que se passe-t-il, mère ?" m'a-t-il demandé. L'officier lui a posé la main sur l'épaule en disant : "Tu as gravement offensé notre empereur. Je te mets en état d'arrestation !" Rufus s'est dégagé, il a couru vers moi en criant : "Je te jure que ce n'est pas moi !"

Mais l'officier a brandi son glaive et lui a ordonné de se taire. Puis les deux soldats se sont jetés sur lui et l'ont emmené, sans même lui permettre de passer ses vêtements. Mais il est innocent, n'est-ce pas ? Je suis sûre qu'il est innocent !... »

Très embarrassés, les écoliers détournèrent les yeux, et ne répondirent pas. Finalement, Mucius murmura :

« Nous l'avons cru innocent, nous aussi... »

Livia lui lança un regard reconnaissant.

« J'ai appris que vous étiez déjà venus ici ce matin, poursuivit-elle. Mais pourquoi n'étiez-vous pas à l'école ? Que signifie tout cela ? »

Mucius entreprit alors de lui faire le récit des événements qui s'étaient déroulés depuis la veille. Livia l'écouta avec étonnement, puis dit :

« Il est certain que Rufus s'est très mal conduit à l'école, mais Caïus n'aurait pas dû l'offenser. Il sait que Rufus adore son père et qu'il a été bouleversé par la défaite qu'il a subie en Gaule. Je comprends très bien que mon fils soit entré dans une telle colère contre Caïus. Ce n'est pas pour cela qu'il aurait songé à profaner un temple ! S'il avait voulu tracer une inscription sur la place de Minerve, il aurait choisi un autre mur !

— Moi, dit Antoine, j'aurais écrit ça juste en face : sur la villa de Vinicius !

« — Il y a une chose que je ne comprends pas, reprit Livia. Vous venez de me dire que le sénateur désirait parler à Rufus. S'est-il déjà rendu chez le préfet de la Ville ?

— Non, répondit fièrement Mucius. Nous l'en avons empêché.

— Alors comment se fait-il que Rufus ait été arrêté ? »

Les écoliers furent frappés par la justesse de cette remarque. Livia avait raison ! Il fallait que quelqu'un d'autre eût dénoncé Rufus. Mais qui ?

« C'est peut-être Caïus, suggéra Publius. Il aura eu un mouvement de colère…

— Impossible ! dit Jules. Caïus savait que son père comptait le dénoncer lui-même. Que pouvait-il souhaiter de mieux, comme vengeance, que de voir son père, le célèbre sénateur, se rendre en personne chez le préfet ? D'ailleurs le préfet ne lancerait pas un mandat d'arrêt sur une dénonciation venant d'un gamin.

— Peut-être est-ce l'intendant de Vinicius, ou bien le précepteur de Caïus ? proposa à son tour Flavien. Ils savaient eux aussi que l'on soupçonnait Rufus. »

Mais Jules avait réponse à tout :

« C'est également impossible, car ce sont des esclaves, et les esclaves n'ont pas le droit de témoigner contre un citoyen romain. Ils n'auraient d'ailleurs pas osé devancer leur maître.

— Il faut pourtant que ce soit quelqu'un ! » s'écria Mucius.

Publius haussa les épaules.

« La réponse est bien simple, dit-il tranquillement. On l'a vu faire.

— Qu'a-t-on vu faire ? » demanda Jules, tout en lançant à Publius des clins d'œil désespérés pour qu'il tînt sa langue.

Mais Publius ne comprit pas, et il reprit :

« Quelqu'un a dû voir Rufus en train d'écrire : "Caïus est un âne" sur le temple. »

Livia tressaillit et lui jeta un regard effrayé.

« Vous croyez donc que Rufus est coupable ? » demanda-t-elle d'une voix anxieuse.

Embarrassé, Publius n'osa pas répondre.

« Eh bien, vous vous trompez ! affirma Livia. Mon fils m'a juré qu'il était innocent, et il ne m'a jamais menti ! D'ailleurs, quand aurait-il pu tracer cette inscription ? Vous m'avez dit que le temple avait été profané vers la cinquième heure de la nuit. Est-ce exact ?

— Oui, dit Jules. Les veilleurs de nuit ont affirmé qu'ils n'avaient rien vu avant la cinquième heure, mais quand nous avons découvert l'inscription, au matin, la peinture était déjà sèche. Elle a donc dû être tracée entre la cinquième et la sixième heure.

— Ah ! vous voyez bien ! s'écria Livia. Il est absolument impossible que Rufus soit sorti au cours de la nuit : la porte d'entrée est surveillée par un gardien, et il n'aurait pu passer par les fenêtres qui sont trop étroites, ni franchir le mur du jardin.

— Peut-être son précepteur Rompus l'a-t-il laissé sortir en cachette ? suggéra Jules.

— Non, dit Livia avec décision. J'ai toute confiance en Rompus. Il nous est entièrement dévoué et nous ne pouvons souhaiter de meilleur précepteur pour notre fils. Malheureusement, il n'est pas là pour l'instant, car j'ai dû l'envoyer chercher des herbes médicinales chez un médecin qui habite au-delà du Tibre. Mais je l'interrogerai dès son retour. »

Puis Livia se tut. Elle paraissait à bout de forces, et les jeunes garçons comprirent qu'ils devaient se retirer.

« Pouvons-nous aller reprendre nos affaires de classe dans la chambre de Rufus ? » demanda Jules.

Livia acquiesça d'un signe de tête, et les écoliers passèrent dans la chambre de leur ami. Ils allaient sortir lorsque Mucius se souvint de sa lanterne que Rufus avait emportée par mégarde. Il la chercha du regard.

La chambre de Rufus était aménagée avec une simplicité toute spartiate. Au-dessus de son lit, placé contre le mur, il avait accroché le portrait de son père en uniforme de général. Contre l'autre mur, il y avait une petite table, un escabeau et un rayon pour ses affaires de classe et ses jouets. Pas d'armoire. Ses vêtements étaient suspendus à des clous.

« Que cherches-tu ? demanda Jules.

— Ma lanterne, répondit Mucius. Hier soir, Rufus l'a prise pour la sienne. C'est une jolie lanterne, et mon nom est gravé dessus. Je me ferai attraper à la maison si l'on s'aperçoit que je ne l'ai plus.

— Je vais te la trouver », dit Antoine qui se mit à fureter dans les coins.

À ce moment, Livia souleva le rideau de la porte.

« Tiens ! fit-elle. Vous êtes encore là ?

— Je voudrais ma lanterne, dit Mucius. Je... je l'avais prêtée à Rufus et je voudrais la reprendre.

— Elle doit être sur le rayon, dans ses affaires. »

Mucius examina le rayon, mais il n'y trouva que les livres de Rufus, ses tablettes, une toupie, quelques soldats de bois et une tirelire.

Publius prit la tirelire et la secoua.

« Elle est vide ! dit-il avec surprise. Il me disait pourtant, hier, qu'il avait des économies »

Pendant ce temps, Antoine s'était glissé sous le lit, et on le vit ressortir en tirant un ballot de vêtements.

« Regardez ce que j'ai trouvé ! » s'écria-t-il.

Livia s'approcha.

« Mais ce sont ses vêtements ! dit-elle. Il n'a pourtant pas l'habitude de les fourrer sous son lit. Lui qui est généralement si soigneux... »

Elle prit le ballot de vêtements que lui tendait Antoine.

« Et ils sont tout mouillés ! reprit-elle au comble de l'étonnement. Que lui est-il arrivé ?... »

À ce moment, une esclave entra dans la chambre et annonça que Rompus était de retour.

« Déjà ! dit Livia. Il n'est donc pas allé chez le médecin ?

— Non, maîtresse, répondit l'esclave. Il a fait demi-tour en route parce qu'il a appris une grande nouvelle. »

10

Quand Livia et les écoliers rentrèrent dans la salle commune, Rompus, un bel et jeune esclave, accourut vers eux.

« Maîtresse, cria-t-il joyeusement, j'apporte de bonnes nouvelles ! Notre maître a remporté une grande victoire ! Lorsque j'ai traversé le Forum, on venait d'afficher les dernières nouvelles. Le général a écrasé les Gaulois révoltés ! Toute la ville est en fête ! »

Les écoliers manifestèrent bruyamment leur joie et félicitèrent Livia.

« Maintenant, dit Mucius rayonnant, tout va s'arranger. On va remettre Rufus en liberté !

— Hélas ! répondit tristement Livia. J'ai bien peur que non... »

Elle faillit ajouter quelque chose, mais elle se reprit et renvoya ses esclaves. Seul Rompus fut autorisé à rester.

Livia s'assit alors, fit signe aux jeunes garçons de s'approcher, et dit à mi-voix :

« L'empereur est jaloux de mon époux, parce que celui-ci est très aimé de ses légions. Vous savez que l'empereur se fait adorer à l'égal d'un dieu, et il ne tolère pas d'autres dieux à côté de lui. Le préfet de la Ville qui est un ambitieux est maintenant capable de punir très sévèrement Rufus, pour se faire bien voir de l'empereur. »

Les écoliers comprirent parfaitement ce que redoutait Livia. Ils se sentaient très flattés qu'elle leur eût confié de tels secrets, mais en même temps ils n'étaient pas trop rassurés, car il était dangereux de critiquer l'empereur. Avec inquiétude, Flavien regarda tout autour de lui pour voir si personne ne les écoutait.

Rompus, lui, ne put contenir plus longtemps sa curiosité, et il demanda :

« Qu'est-il donc arrivé à Rufus, maîtresse ?

— Il est en prison », répondit Livia.

Rompus pâlit.

« En prison ! » répéta-t-il d'une voix étranglée.

Livia lui raconta ce qui était arrivé, puis lui demanda sévèrement :

« Où donc était Rufus cette nuit ? Et pourquoi ses vêtements sont-ils complètement mouillés ? »

Rompus tomba à genoux devant elle.

« Ô maîtresse, balbutia-t-il, tout cela est ma faute ! Fais moi mettre aux fers ! J'aurais dû empêcher Rufus de quitter la maison...

— Il était donc sorti ! murmura Livia. Où est-il allé ? Pourquoi est-il sorti en cachette ? »

Rompus se redressa lentement, et posa sur sa maîtresse un regard chargé de repentir.

« Hier soir, dit-il, Rufus était déjà parti de l'école lorsque je suis allé le chercher. Ses camarades m'ont dit qu'il s'était senti fatigué et était rentré plus tôt que de coutume à la maison.

— Nous avons dit ça pour ne pas cafarder ! intervint Flavien.

— Je suis immédiatement revenu ici, poursuivit Rompus, mais Rufus n'était pas encore rentré. Il n'est arrivé qu'une demi-heure plus tard.

— Pourquoi ne m'en as-tu rien dit ? demanda Livia.

— Tu étais malade, maîtresse, et l'on nous avait interdit de te déranger.

— Et pourquoi est-il rentré si tard ?

— Je n'en sais rien. Il avait l'air très abattu, et sans répondre à mes questions il s'est immédiatement dirigé vers sa chambre. Comme j'étais inquiet, je l'ai observé par une fente du rideau. Il a allumé sa lanterne, puis il a vidé sa tirelire et a mis l'argent dans une bourse. J'ai alors compris qu'il avait l'intention de ressortir. Je ne suis pas intervenu parce que je voulais voir comment il comptait s'y prendre. En effet, le vieux Titus ne lui aurait jamais ouvert la porte à une heure aussi tardive, et il est impossible de passer par les fenêtres ou de franchir le mur du jardin. Je me cachai donc pour l'observer. Quand il est sorti dans le jardin, je l'ai suivi sans bruit. Il a traversé la pelouse, s'est dirigé vers la haie d'ifs et soudain il a disparu. Alors j'ai pris peur, je me suis précipité à sa poursuite mais c'était trop tard. Je me suis aperçu qu'il était passé par une brèche du mur dont nous ignorions l'existence car elle est masquée par les ifs. Elle est malheureusement si étroite qu'il m'a été impossible de suivre Rufus. J'ai passé la tête par le trou et j'ai crié à Rufus de revenir immédiatement, mais, sans m'écouter, il s'est enfoncé dans le bois de pins.

— Et quand est-il revenu ? demanda Livia.

— Il est resté dehors toute la nuit, et il n'est rentré ici que peu avant le lever du soleil.

— Sais-tu ce qu'il a fait ?

— Je l'ignore, répondit Rompus. Il a refusé de me le dire. Il paraissait épuisé par sa nuit blanche, et il n'avait rapporté ni son manteau, ni l'argent, ni sa lanterne. Ce qui m'a le plus effrayé, ce fut de voir qu'il était trempé jusqu'aux os. Je l'ai accablé de reproches et j'ai exigé qu'il me dise ce qu'il avait fait : il s'y est refusé avec obstination. Quand je l'ai menacé de t'avertir, maîtresse, il a paru épouvanté, et il s'est accroché à moi en criant : "Si tu parles, mon père est perdu !" »

Livia et les jeunes garçons furent frappés de stupeur.

« Et que voulait-il dire par là ? demanda enfin Livia.

— Je n'en sais absolument rien. Mais son désespoir paraissait si profond que je l'ai cru. "Ne me trahis pas ! suppliait-il. Personne ne doit savoir où je suis allé, même pas ma mère !" Et il m'a tellement imploré que j'ai fini par lui promettre de me taire. Si j'avais pu me douter de ce qui est arrivé cette nuit, je n'aurais certainement pas tenu parole. Nous aurions peut-être eu le temps de le sauver ! »

Il s'interrompit, eut un geste d'impuissance, puis fixa un regard sombre droit devant lui.

« C'est trop tard, dit doucement Livia. Je devrais te punir pour avoir manqué à tes devoirs, mais tu as cru bien faire. Maintenant, nous devons unir toutes nos forces pour tenter de le sauver. Malheureusement, nous sommes placés devant plusieurs énigmes, et je ne comprends pas en particulier le rôle que peut jouer mon mari dans cette affaire. Si seulement nous pouvions savoir où s'est rendu Rufus au cours de la nuit !

— Nous pourrions aller le voir dans sa prison et le lui demander ? » suggéra Antoine.

Rompus secoua tristement la tête.

« Impossible, dit-il. On ne nous laisserait pas entrer. Il est d'ailleurs sévèrement interdit aux prisonniers de parler.

— Rufus a dû se cacher sur la place de Minerve, suggéra à son tour Publius.

— Il ne lui fallait pourtant pas la nuit entière pour écrire : "Caïus est un âne" ! » objecta Jules.

Antoine se frappa soudain le front.

« Eh bien, moi, je sais ! s'écria-t-il. Hier soir, quand il est rentré seul chez lui, il a été attaqué par un bandit qui, sous la menace, l'a obligé à aller lui chercher sa tirelire. Ensuite, ce bandit l'a obligé à écrire : "Caïus est un âne" sur le temple, et lui a dit qu'il le dénoncerait s'il ne lui apportait pas une très forte somme.

— Et comment ce bandit était-il au courant de

la dispute entre Rufus et Caïus ? demanda Mucius avec impatience.

— C'est Rufus lui-même qui lui a tout raconté.

— Peut-on savoir pourquoi ?

— Pour le distraire par son bavardage ou pour l'apitoyer.

— Et qui donc aurait volé la tablette chez Xantippe ?

— Eh bien, c'est le bandit ! répliqua Antoine qui avait décidément réponse à tout. Il l'a fait parce que Rufus s'était refusé à profaner le temple.

— Assez ! assez ! cria Mucius. Toute ton histoire n'est qu'un tissu d'absurdités ! Ne nous fais pas perdre notre temps ! »

Livia intervint avec douceur.

« Il y a sans doute une parcelle de vérité dans ce que raconte Antoine, dit-elle. Je suis persuadée, moi aussi, que, cette nuit, Rufus est tombé entre les mains de méchantes gens. Je ne puis m'expliquer autrement ses actes et sa longue absence. Quelqu'un a dû l'obliger à tracer cette inscription sur le temple. Peut-être était-ce pour nuire à mon mari ? Il y a peut-être derrière tout cela une machination politique assez malpropre. Si nous pouvons prouver que Rufus a agi sous la contrainte, le préfet de la Ville ne pourra refuser sa mise en liberté.

Mais il faut pour cela que nous démasquions ce mystérieux inconnu.

— À mon avis, dit Rompus, l'homme entre les mains duquel Rufus est tombé est le même qui a attaqué Xantippe. Ce serait vraiment un trop curieux hasard si ces deux événements n'avaient aucun lien entre eux.

— Malheureusement, nous n'avons aucun indice ! soupira Livia.

— Mais si ! s'écria Antoine. La chaîne que le voleur a perdue chez Xantippe ! »

Mucius tira la chaîne de sa poche ; Livia et Rompus l'examinèrent avec curiosité.

« C'est un objet de valeur, dit Rompus. En Orient, les officiers supérieurs en portent de semblables, à leur manteau.

— Et comment retrouver son propriétaire ? » demanda Livia.

Ils restèrent quelques instants silencieux.

Soudain, le visage de Mucius s'illumina.

« J'ai une idée. Si nous allions trouver Lukos ?

— Pour quoi faire ? demandèrent ses camarades.

— C'est un voyant. Nous lui montrerons cette chaîne, et il nous dira à qui elle appartient.

— Excellente idée, dit Livia. Lukos est un

voyant très doué. Du moins, c'est ce que j'ai souvent entendu dire... »

Antoine, lui aussi, approuva son ami. Mais Jules, Publius et Flavien gardèrent un silence embarrassé.

« Alors, quoi ? Auriez-vous peur de lui ? leur demanda Mucius.

— Allons donc ! protesta Publius en haussant les épaules.

— Moi non plus, je n'ai pas peur ! » affirma Flavien d'une voix blanche.

11

Vers la fin de l'après-midi, ils se retrouvèrent sur la place de Minerve.

Le temps s'était gâté ; il faisait maintenant très frais, et de gros nuages sombres, chargés de pluie, filaient au ciel.

Flavien qui se plaignait d'avoir froid avait rabattu sur ses oreilles le capuchon de son manteau. Mais ce devait être l'idée de rencontrer Lukos qui lui donnait la chair de poule.

Antoine fit voir aux autres un petit poignard qu'il avait caché dans les plis de sa toge.

« Il vaut mieux être prudent, n'est-ce pas ? dit-il avec des airs de conspirateur.

— Tu sembles prendre Lukos pour un dangereux criminel ! lança nerveusement Jules.

— On ne sait jamais ! Il essaiera peut-être de nous jeter un sort.

— Dans ce cas, ton poignard ne te servira à rien !

— Un poignard est toujours utile, affirma Antoine. C'est avec un poignard qu'Ulysse a crevé l'œil du Cyclope[1].

— Non, c'était avec un pieu.

— Eh bien, emportons un pieu ! »

Mucius haussa les épaules, puis il pressa ses amis de se mettre en route, afin qu'ils pussent être de retour chez eux avant la nuit.

« As-tu de l'argent sur toi ? lui demanda Jules.

— Pour quoi faire ?

— Parce que Lukos ne travaille certainement pas pour rien. Moi, je n'ai pas un sou. »

Antoine et Publius étaient également démunis d'argent.

« Nous aurions dû y penser avant ! gronda Mucius, furieux de ce contretemps. Moi, je n'ai que

---

1. Le Cyclope, monstre à un seul œil, tenait Ulysse et ses compagnons prisonniers dans sa grotte. Pour se sauver, Ulysse eut l'idée de l'enivrer, puis de lui enfoncer un pieu brûlant dans son œil unique, afin de l'aveugler.

mon argent de poche : trente-cinq sesterces. C'est tout ce que je possède.

— Il consentira peut-être à nous faire crédit ? dit Flavien. Ou bien, nous lui dirons d'envoyer sa note à Livia.

— Non ! trancha Mucius. Lukos ne travaillera pour nous que si nous le payons. Et nous ne pouvons pas courir le risque qu'il nous renvoie, car il n'y a pas de temps à perdre si l'on veut sauver Rufus. Combien d'argent avez-vous chez vous ?

— Pas beaucoup, murmura Publius.

— Moi, avoua Flavien, j'ai une pièce d'or que mon oncle m'a donnée pour mon anniversaire. »

Tout heureux, Mucius lui frappa sur l'épaule.

« Épatant ! dit-il. Cela fait cent sesterces. »

Puis il se tourna vers Jules.

« Et toi ? demanda-t-il.

— Moi, j'ai bien quelques petites économies, balbutia Jules. Mais j'avais l'intention d'acheter les œuvres complètes de Jules César[1]. Elles coûtent trois cents sesterces. J'en ai déjà deux cents...

— Eh bien, tu n'en prendras que cent là-dessus », décida Mucius avec générosité.

Jules eut un soupir de résignation.

« Je pourrais emprunter un peu d'argent à notre

_____

1. Grand général et chef d'État romain. Il conquit la Gaule et écrivit son journal de guerre, *La Guerre des Gaules*.

cuisinier, dit à son tour Antoine. C'est un Gaulois, qui est toujours très gentil avec moi.

— Allez vite chercher votre argent ! ordonna Mucius. Je vous attends ici. »

Les quatre garçons furent bientôt de retour. Jules apportait ses cent sesterces, Flavien sa pièce d'or et Publius une poignée de petite monnaie. Antoine, lui, était furieux, car son cuisinier n'avait rien voulu savoir.

« Quel vieil avare ! ragea-t-il. Il a prétendu qu'il ne possédait pas un sou. Mais je me suis vengé : regardez ! »

Et il tira de sa poche un fromage de chèvre qu'il tendit à ses camarades.

« Si vous en voulez un morceau..., proposa-t-il.

— J'aurais mieux aimé de l'argent ! maugréa Mucius.

— Mais j'en ai aussi ! dit Antoine en riant. J'ai demandé à mon père de me faire une avance sur ma semaine. Par hasard il était à la maison et de bonne humeur. C'était à cause de la victoire de Praetonius sur les Gaulois. Du coup, il m'a donné cinquante sesterces ! »

Mucius collecta l'argent, le recompta, l'enveloppa dans son mouchoir et l'empocha.

« Maintenant, dit-il, nous possédons deux cent soixante-dix-neuf sesterces. Cela suffira. Après tout, nous ne demandons à Lukos que de nous dire le nom du voleur. Ce ne doit pas être tellement cher ! »

Ils se mirent en route, et, une demi-heure plus tard, ils débouchaient dans la Rue Large. À mesure qu'ils se rapprochaient de la demeure de Lukos, ils ralentissaient le pas et devenaient de plus en plus silencieux – comme une patrouille qui s'approche des positions ennemies. Une fois devant la porte d'entrée, qu'ils avaient si souvent contemplée avec curiosité, ils eurent un moment d'hésitation. De l'autre côté de la rue ils apercevaient leur école, et ils la regardaient maintenant presque avec affection.

« Pourvu que Xantippe ne nous voie pas ! murmura Flavien.

— Lui ? fit Publius. Il est au lit et se préoccupe surtout de sa jambe.

— Eh bien, nous entrons ? » demanda Jules.

Mucius se décida à frapper à la porte. Comme personne ne répondait, il frappa un peu plus fort. Toujours rien. Cette fois, Publius donna quelques coups de poing dans le battant. Puis Jules et Antoine se mirent de la partie. Tout ce vacarme n'eut aucun résultat. Mucius eut alors l'idée d'appuyer sur le loquet... et la porte s'ouvrit. Mais quelques pas plus loin, le couloir était barré par une autre porte, bardée de fer, celle-là, et qui n'avait ni serrure ni loquet. À mi-hauteur, elle était percée d'un judas rectangulaire. Les jeunes garçons tentèrent de regarder au travers, mais ils reculèrent aussitôt avec effroi car, derrière la vitre, ils avaient aperçu un visage diabolique éclairé d'une lueur verdâtre.

« C'est Lukos ! » gémit Flavien.

Ils attendirent quelques instants, puis, comme rien ne bougeait, Mucius risqua un nouveau regard à travers le judas et déclara :

« Ce n'est pas Lukos, mais seulement un masque pour effrayer les mauvais esprits.

— Ouais ! grogna Publius. Il y a de quoi effrayer aussi les bons ! »

À ce moment, Antoine remarqua un anneau sur le côté de la porte. Il le tira, et, tout au fond de la maison, on entendit le frémissement sourd d'un gong.

Les enfants attendirent, retenant leur souffle. Et soudain la porte s'ouvrit toute grande, comme poussée par une main invisible. Il n'y avait personne dans le couloir.

« C'est de la magie ! » chuchota Antoine.

Ils regardèrent derrière la porte. Le masque qui leur avait fait peur était placé dans une petite cassette éclairée par une lampe à huile garnie d'un abat-jour vert.

« N'allons pas plus loin ! » gémit Flavien.

Mais ses camarades l'entraînèrent. Serrés les uns contre les autres, ils avancèrent prudemment dans le couloir et arrivèrent devant un long rideau. De nouveau ils s'arrêtèrent, indécis, prêtant l'oreille.

« Eh bien, qu'attendez-vous pour entrer ? » cria soudain une voix rude.

Bien qu'ils fussent effrayés, les jeunes garçons obéirent à l'invitation, et ils pénétrèrent, le cœur battant, dans une grande salle voûtée, maigrement éclairée par un feu qui crépitait dans la cheminée. Les hauts murs sans fenêtres luisaient d'humidité. Le pourtour de la salle était garni de colonnes dont le sommet se perdait dans l'obscurité ; sur chacune d'elles était accroché un masque grimaçant, éclairé de l'intérieur comme celui de l'entrée.

Lukos était installé à une grande table, tournant le dos à la cheminée, et il observait silencieusement ses jeunes visiteurs. Le devin était horrible à voir. La partie supérieure de son visage était fardée en blanc, la partie inférieure en noir ; et cela donnait l'impression qu'il n'avait ni menton, ni cou. Il portait un grand manteau noir parsemé d'étoiles d'argent, et il tenait à la main gauche une boule de métal poli dans laquelle se reflétait le feu de la cheminée.

« Approchez ! » dit-il d'une voix rauque.

Les écoliers avancèrent lentement jusqu'à sa table, et ils furent glacés d'effroi en y apercevant une corbeille où grouillaient des serpents.

De ses petits yeux rusés, Lukos examina les jeunes garçons.

« Eh bien, que me voulez-vous ? » demanda-t-il.

Mucius glissa la chaîne dans la main de Jules et lui souffla précipitamment :

« Tu sais mieux parler que moi. Explique-lui ce que nous voulons... »

Pris de court, Jules posa sa chaîne sur la table, à distance respectueuse des serpents.

« Nous venons pour une consultation, dit-il enfin d'une voix mal assurée. Pourrais-tu nous révéler à qui appartient cette chaîne ? »

Ses paroles ne semblèrent pas avoir fait la moindre impression sur le devin. Lukos baissa les yeux sur la chaîne et resta silencieux. Les écoliers ne savaient trop s'il était en état de voyance ou se désintéressait d'eux.

Au bout d'un moment, Antoine prit à son tour la parole.

« Nous pensons que cette chaîne appartient à celui qui a attaqué Xantippe, dit-il. Nous voudrions savoir comment il s'appelle et où il habite. Peux-tu nous répondre ? »

Mais Lukos se contenta de fermer les yeux, et resta immobile comme une statue. Dans le silence on n'entendait que le crépitement du feu.

« Il faut peut-être payer d'avance ? » murmura Publius.

Jules fit alors une nouvelle tentative.

« Bien entendu, dit-il, nous comptons te payer. Combien veux-tu ? Nous avons l'argent sur nous... »

Soudain Lukos se dressa d'un bond.

« Dehors ! hurla-t-il. Tâchez de filer au plus vite, espèces de petits voyous ! »

Puis il plongea les mains dans la corbeille et jeta sur les gamins le nœud de serpents.

Les enfants poussèrent un cri de terreur et se baissèrent pour éviter le répugnant projectile qui, par chance, passa au-dessus de leurs têtes. Flavien faillit s'évanouir d'épouvante, mais comme ses amis fuyaient déjà dans le couloir, il se lança à leur poursuite en hurlant comme un possédé.

Ils se bousculèrent pour franchir les deux portes, se retrouvèrent dans la Rue Large et la descendirent à toute allure, presque jusqu'au Forum. Enfin, ils s'arrêtèrent devant une fontaine, et ils se mirent à lamper avec avidité l'eau pure et glacée. Lentement, ils se rassurèrent.

« Ce Lukos est ignoble ! dit Jules en frissonnant.

— Oui, dit Antoine. Et nous avons échappé de peu à la mort, j'en suis certain ! »

Et il se pencha de nouveau sur la fontaine. Mais tout aussitôt il se redressa avec un grand cri.

« Au secours ! hurla-t-il. Un serpent vient de me mordre !... »

Il se tordit sur lui-même, comme s'il était pris de convulsions, et soudain quelque chose tomba en tintant sur le sol : c'était son poignard ! Au cours de la galopade effrénée, il avait glissé dans les plis de sa toge et lui avait piqué le ventre lorsqu'il s'était penché pour boire.

Ils furent pris alors d'une crise de fou rire qui les remit de leurs émotions. Une fois calmés, ils allaient s'éloigner de la fontaine lorsque Publius regarda tout autour de lui.

« Où donc est Mucius ? » demanda-t-il avec étonnement.

Pas de Mucius. Le soir tombait déjà, et les rues commençaient à se vider. Un coup de vent souleva un nuage de poussière. Le tonnerre gronda dans le lointain.

« Il a peut-être filé avant nous ? suggéra Antoine.

— Non, dit Jules. Ce n'est pas son genre. Il ne nous aurait pas laissés en plan.

— Il tenait beaucoup à rentrer de bonne heure à la maison, fit remarquer Flavien. Son père ne plaisante pas sur la ponctualité. »

Les autres se rendirent à cet argument, mais ils trouvaient tout de même curieux que Mucius fût parti le premier sans les avertir. Soudain un éclair brilla dans le ciel et fut suivi d'un assourdissant coup de tonnerre. Presque aussitôt après, une bourrasque de grêle s'abattit sur eux.

« Rentrons vite ! » cria Publius.

Sans plus se soucier de Mucius, les gamins retroussèrent leurs toges et filèrent comme des lièvres sur la chaussée.

12

Or, Mucius n'avait pas fui le premier, comme le pensaient ses amis, mais il était resté chez Lukos. Bien contre son gré, d'ailleurs !

Après avoir glissé la chaîne dans la main de Jules, il s'était discrètement écarté de ses camarades pour inspecter la salle et découvrir par quel moyen Lukos avait pu leur ouvrir la porte sans bouger de sa place. Il ne lui fallut pas longtemps pour distinguer deux fines cordelettes qui couraient le long du mur et aboutissaient à la table du voyant. Mais au même instant son regard tomba sur un manteau jeté dans un coin, à demi caché par une colonne. Il se faufila jusqu'à lui, le ramassa pour l'examiner, et, à sa grande surprise, il constata que c'était celui de Rufus. Sur l'épaule gauche il pouvait voir le raccommodage qu'il avait déjà remarqué. Mucius fut profondément intrigué par ce nouveau mystère. Rufus les avait-il donc précédés chez Lukos ? Qu'était-il venu y faire ? Et pourquoi avait-il abandonné son manteau ?

Il était si absorbé par ses réflexions qu'il ne prêtait plus attention à ce qui se passait autour de lui. Tout à coup, il entendit les glapissements de Lukos et vit ses compagnons s'enfuir en poussant des cris de terreur. Il eut une seconde d'hésitation, et cela lui fut fatal, car, lorsqu'il s'élança à leur poursuite en emportant le manteau, la lourde porte s'était déjà refermée, le laissant prisonnier au fond du couloir ténébreux.

Pendant un long moment, il resta là, le cœur battant, cherchant à maîtriser l'angoisse qui montait en lui. « Lukos n'osera rien me faire ! se répétait-il. Pourquoi ne pas lui demander tout simplement de me laisser sortir ?... » Il se décida enfin à revenir jusqu'au rideau, en marchant sur la pointe des pieds, pour jeter un regard à l'intérieur de la grande salle. Lukos était debout, une corbeille à la main, et de temps à autre il se baissait pour ramasser quelque chose sur le sol. Sa démarche était lourde, maladroite ; ses pas claquaient sur le dallage comme s'il avait eu au pied un pilon de bois. Il semblait également avoir beaucoup de peine à se baisser, car il poussait chaque fois un long gémissement. On eût dit un vieil homme perclus de rhumatismes.

Cela rassura Mucius, et il allait pénétrer dans la salle lorsqu'il aperçut les serpents sur le sol. Épouvanté, il laissa retomber le rideau, se réfugia dans le fond du couloir et, à tâtons, chercha désespérément une issue. Soudain il retint un cri de joie en sentant une échelle sous ses mains. Il jeta sur ses épaules le manteau de Rufus, empoigna les échelons et grimpa avec l'agilité d'un singe. Une fois en haut, il tâtonna un instant, trouva le volet d'une lucarne, le souleva d'un coup d'épaule et passa sur le toit. Puis il rabattit le volet et s'assit dessus.

La pluie faisait rage. En peu de temps, Mucius fut trempé jusqu'aux os, mais il était si heureux d'avoir pu s'échapper qu'il ne s'en souciait guère, et qu'il chantonnait à mi-voix en laissant son regard errer dans les ténèbres. Bientôt, pourtant, il se sentit repris par l'inquiétude, et il comprit que sa situation n'avait rien d'enviable. Même ici, il était toujours prisonnier de Lukos. Il se mit alors à ramper le long du toit, mais il constata que la maison était bien trop haute pour qu'il pût tenter de sauter, ou de descendre en s'aidant des aspérités de la façade.

Découragé, il venait de se rasseoir sur les tuiles ruisselantes lorsque, à la lueur d'un éclair, il entrevit le toit d'une maison voisine, de l'autre côté d'une étroite ruelle. Il s'avança jusqu'au bord, se ramassa pour sauter, puis, lorsqu'un nouvel éclair illumina le ciel, il bondit et retomba à plat ventre sur le toit voisin. Cette fois, il était sauvé ! Il ne lui restait plus qu'à trouver une lucarne pour descendre dans la maison et regagner ainsi la rue. Après avoir soufflé il se mit à ramper de tous côtés, mais soudain ses mains ne rencontrèrent que le vide, et il tomba, la tête la première dans les ténèbres. Il eut le temps de penser : « Tout est fini... Je vais mourir ! », puis son corps heurta la surface de l'eau et il s'y enfonça comme une pierre.

Mucius était heureusement bon nageur, et il revint rapidement à la surface. L'obscurité était totale ; il n'avait pas la moindre idée de l'endroit où il se trouvait. Le manteau de Rufus qui pesait maintenant sur lui comme une chape de plomb l'obligeait à nager vigoureusement pour ne pas couler. Soudain, il releva la tête, et aperçut au-dessus de lui un rectangle de ciel illuminé par un éclair. Sans aucun doute, il était tombé par une lucarne et se trouvait maintenant à l'intérieur d'une maison. Mais comment était-il possible que celle-ci fût traversée par une rivière ?

Comme la fatigue le gagnait, il se laissa entraîner par le léger courant ; peu après il se heurta à une paroi lisse qui semblait être du marbre. Puis il sentit le fond sous ses pieds, et il constata avec joie que l'eau baissait rapidement. Bientôt, elle ne lui arriva plus qu'aux hanches. À tâtons, il longea la paroi, trouva un escalier qu'il gravit et il s'effondra, complètement épuisé, sur la marche supérieure.

Il avait eu tellement peur qu'il n'osait plus bouger de sa place. Mais il ne cessait de se demander où il pouvait bien être. Et soudain il éclata de rire, car il avait deviné : il était tombé dans la grande piscine des Bains de Diane[1]. Il connaissait fort bien ces bains, réservés aux riches patriciens, où il était venu plus d'une fois avec son père. Pourtant il avait toujours ignoré qu'ils fussent situés juste derrière la maison de Lukos.

Puis il frissonna en comprenant qu'il venait d'échapper de peu à la mort. Chaque soir, on vidait la piscine, c'est ce qui expliquait le courant qui l'avait entraîné. S'il était tombé un peu plus tard, il se serait immanquablement écrasé au fond du bassin.

En se dirigeant au jugé, il entreprit alors de trou-

---

1. Les Romains adoraient les bains. C'étaient de grands bâtiments où ils se retrouvaient non seulement pour se laver mais aussi pour se faire masser, épiler, parfumer, et pour retrouver des amis.

ver la sortie de l'établissement. Hélas ! elle était fermée à clef, et il n'y avait pas d'autre issue, il le savait. Pour la seconde fois, il se trouvait prisonnier. Il ne lui restait plus qu'à attendre le matin pour qu'on le délivrât.

Il chercha un banc de marbre, roula le manteau de Rufus pour s'en faire un oreiller, puis il s'allongea sur la pierre froide et s'endormit immédiatement.

13

Le lendemain matin, il fut tiré de son sommeil par un robuste Arabe qui le secouait sans douceur.

« Espèce de galopin ! grondait-il, j'ai quand même fini par t'attraper ! Ça fait la deuxième fois que tu te faufiles ici la nuit ! Debout ! Tu vas m'accompagner à la police ! »

Mucius se redressa en balbutiant :

« Mais que se passe-t-il ? Qui es-tu ?

— Je suis le maître baigneur, répliqua l'Arabe. Comment as-tu fait pour entrer ici ?

— Je suis tombé par là sans le faire exprès ! dit

Mucius en montrant l'ouverture du toit où apparaissait un rectangle de ciel bleu.

— Menteur ! aboya l'homme. La nuit dernière, tu étais déjà entré ici. Hier matin, tu as malheureusement pu filer, mais aujourd'hui tu ne m'échapperas pas !

— Je ne mens pas ! protesta Mucius.

— Comment t'appelles-tu ?

— Mucius Marius Domitius, dit fièrement le jeune garçon.

— C'est bien toi ! rugit le maître baigneur en lui mettant sous le nez une lanterne de bronze. C'est écrit là-dessus : *Mucius Marius Domitius*. C'est ta lanterne ! Inutile de nier, mon petit, ça ne te servira à rien ! »

Mucius en cut le souffle coupé, car c'était effectivement sa lanterne. Celle que Rufus avait emportée par mégarde.

Le maître baigneur triompha.

« J'ai trouvé cette lanterne hier matin au fond du bassin, cria-t-il. Tu es un menteur, et tu mériterais une bonne volée ! »

Mais Mucius ne l'écoutait pas. Il venait soudain de comprendre que Rufus était passé lui aussi par les Bains de Diane.

« Quelle tête avait le garçon d'hier matin ? demanda-t-il vivement.

— Quoi ? quoi ? fit l'homme, ahuri. Quelle tête ? Mais la tienne, naturellement !

— C'est faux ! Je t'ai dit que ce n'était pas moi !

— Ah ! tu ne manques pas d'audace, mon garçon ! gronda le maître baigneur. Tu es venu te baigner ici en cachette, sans payer le droit d'entrée ! C'est de l'escroquerie pure et simple, et ça te mènera en prison !

— Bon ! bon ! dit Mucius pour l'apaiser. Je vais payer pour les deux. Combien coûte l'entrée ?

— Dix sesterces. Moitié prix pour les enfants. » Mucius retroussa sa toge, fouilla dans la poche de sa tunique et s'aperçut avec joie qu'il n'avait pas perdu le mouchoir contenant l'argent. Il le dénoua et y prit quelques pièces de monnaie qu'il tendit à l'homme.

« D'où tiens-tu tout cet argent ? demanda celui-ci avec méfiance.

— C'est mon argent de poche, répondit Mucius qui ne tenait pas à expliquer pourquoi une si grosse somme était en sa possession.

— Ton père doit être très riche s'il te donne tant ! dit l'homme en s'adoucissant.

— Mon père est le tribun[1] Marius Domitius.

— Quoi ? fit le maître baigneur en ouvrant de

_____

1. Officier supérieur de l'armée romaine.

133

grands yeux. Son Excellence Domitius ? Ce n'est pas un nouveau mensonge ? »

Mucius eut un petit rire condescendant et montra sa lanterne.

« C'est écrit là-dessus, dit-il. Tu ne sais pas lire ? »

D'un seul coup, le maître baigneur fut transformé. Il s'inclina devant Mucius en balbutiant :

« Toutes mes excuses ! Sois assez gentil pour ne pas raconter à ton père que je t'ai grondé. Mais je dois faire mon métier, n'est-ce pas ? Et je ne peux tout de même pas permettre que l'on vienne se baigner sans payer ! Il pourrait aussi arriver des accidents : je vide le bassin tous les soirs, et si quelqu'un saute dedans pendant la nuit, il se rompra les os. Tu as eu de la chance qu'il y ait encore assez d'eau ! Dois-je mettre tes affaires à sécher ? Tu ne peux pas rentrer chez toi dans cet état !

— Je n'ai pas le temps, dit Mucius. Quelle heure est-il ?

— Le soleil vient juste de se lever. »

Mucius s'élança vers la sortie, mais il revint aussitôt sur ses pas pour demander au maître baigneur :

« Et hier matin ? Que s'est-il passé au juste ?

— Lorsque j'ai ouvert la porte, répondit le gros homme, un gamin m'a filé entre les jambes en manquant de me renverser. Il avait dû sauter dans la piscine la veille au soir. Je ne vois pas comment il aurait pu entrer autrement, car je ferme chaque soir la porte, et il n'y a pas d'autre entrée. Ce matin, lorsque je t'ai trouvé endormi sur le banc, j'ai pensé qu'il s'agissait du même garçon. Mais maintenant je te crois sur parole. Si tu veux, je vais te rendre ton argent.

— Garde-le ! » cria Mucius en se précipitant dehors.

Il descendit en courant la petite allée qui débouchait dans la Rue Large, traversa celle-ci et fit un long détour pour éviter le Forum, car il ne tenait pas à être vu avec ses vêtements mouillés et ses cheveux hirsutes. Soudain, il s'arrêta net.

« Grands dieux ! murmura-t-il. Rufus est innocent ! »

En effet, il venait brusquement de comprendre qu'il était impossible à Rufus d'avoir tracé l'inscription sur le temple, puisqu'il avait passé la nuit entière enfermé dans les Bains de Diane.

14

Mucius n'avait pas la réputation d'un hâbleur[1], et pourtant ses camarades eurent peine à le croire lorsqu'il leur fit le récit de ses aventures nocturnes.

Ils s'étaient tous retrouvés à leur quartier général, c'est-à-dire dans la caverne qu'ils avaient découverte un jour sur le versant du mont Esquilin. C'était là qu'ils se réunissaient lorsqu'ils devaient discuter de quelque importante question ou qu'ils jugeaient prudent de disparaître pour un temps de la circulation. Dans un recoin, ils avaient accumulé un invraisemblable bric-à-brac avec

----

1. Vantard.

lequel ils pensaient aménager un jour leur repaire. Mais pour l'instant toute l'installation consistait en quelques caisses branlantes groupées autour d'une table au marbre brisé sur laquelle brûlait une chandelle. L'entrée de la grotte était camouflée par un vieux tapis.

Lorsque Mucius se tut, il y eut un long silence. Puis Publius traduisit l'incrédulité générale en demandant :

« C'est bien vrai, toute cette histoire ?

— Si tu ne me crois pas, tu n'as qu'à questionner le maître baigneur ! répliqua Mucius indigné.

— Et tes parents n'ont rien dit, que tu aies passé la nuit dehors ? demanda à son tour Flavien.

— J'ai eu de la chance. Comme ils étaient allés hier soir à une réception, ils se sont levés très tard, et j'ai pu rentrer sans qu'ils me voient.

— Et tu crois que Lukos t'aurait tué ? reprit Flavien.

— Ça, je n'en sais rien. Mais quand j'ai vu les serpents, j'ai préféré filer !

— Moi, dit Antoine avec un air fanfaron, j'aurais menacé Lukos de mon poignard et l'aurais obligé à m'ouvrir la porte.

— Si tu n'étais pas mort de peur auparavant ! lança moqueusement Publius.

— Allons ! Suffit ! » dit Jules impatienté par cet inutile bavardage.

Il écarta la bougie, se pencha en avant et regarda attentivement Mucius.

« Tu affirmes donc que Rufus a également passé la nuit dans les Bains de Diane ? demanda-t-il.

— Mais je vous ai déjà tout expliqué ! protesta Mucius avec irritation. Rufus a dû se rendre chez Lukos, puisque j'y ai retrouvé son manteau, et il a dû ensuite sauter dans les Bains de Diane. Au matin, lorsque le maître baigneur a ouvert la porte, il lui a filé entre les jambes. Et il ne peut avoir pénétré dans les bains que de la même façon que moi, c'est-à-dire par l'ouverture du toit. Ce devait être avant la deuxième heure de la nuit puisqu'il y avait encore de l'eau dans la piscine. Une demi-heure plus tard, il se serait rompu les os. Nous avons donc la preuve que Rufus a été dans l'impossibilité matérielle de tracer l'inscription.

— Pourquoi est-il allé chez Lukos ? demanda Antoine.

— Les dieux seuls le savent. Mais pour passer sur le toit des Bains de Diane, il ne pouvait venir que de la maison de Lukos. C'est la seule dans le voisinage qui soit aussi haute que les bains.

— Je commence à trouver que cette histoire tient debout, dit Jules, les yeux brillants. Souvenez-vous des vêtements de Rufus, que nous avons découverts sous son lit : ils étaient tout mouillés...

— Parce qu'il avait sauté dans la piscine ! » compléta Mucius.

Ils entreprirent alors de dresser un plan d'action. Maintenant qu'ils étaient en possession de divers indices semblant prouver l'innocence de Rufus, comment allaient-ils pouvoir le faire libérer au plus vite ? Mucius proposa de rendre visite à Livia et de tout lui raconter.

« Cela ne nous avancera pas, fit remarquer Publius. Livia nous a dit elle-même qu'elle ne pouvait pas faire grand-chose. Le préfet de la Ville ne la recevra pas, car il sait que l'empereur n'aime pas Praetonius.

— Et si nous allions voir l'empereur ? suggéra Flavien. S'il ordonne de mettre Rufus en liberté, le préfet n'aura qu'à s'incliner.

— Fameuse idée ! s'exclama ironiquement Publius. Et tu te figures que l'empereur nous recevrait ?

— Évidemment, ce ne serait pas facile, dit Jules en soupirant. Il nous faudrait d'abord demander une audience, et même si on nous l'accordait – ce dont je doute –, il faudrait attendre plusieurs jours. »

Ils restèrent un instant songeurs. Soudain Antoine leva le doigt.

« Moi, je sais comment faire. Nous allons écrire une lettre à l'empereur et nous la déposerons au palais en demandant qu'elle lui soit remise immédiatement. »

Cette excellente idée fut adoptée à l'unanimité.

« Qui écrira la lettre ? demanda Flavien.

— Toi, bien sûr ! répliqua Publius. Tu es toujours premier en écriture : ça te servira enfin à quelque chose ! »

Flavien tenta de protester, mais il dut s'incliner devant la majorité.

« Et sur quoi vais-je l'écrire ? reprit-il d'une voix pleurarde.

— Là-dessus, dit Jules qui tira de sa toge un rouleau de parchemin[1]. C'est un discours de Cicéron[2]. Tu n'as qu'à écrire la lettre au verso.

— L'empereur risque de lire le discours et pas notre lettre ! gémit Flavien en se défendant encore.

— Eh bien, barre le discours ! lança Mucius que ces discussions commençaient à impatienter.

— Ah ! non, protesta Jules. Ce n'est pas une chose à faire ! L'empereur est justement un grand

---

1. Peau tannée qui servait de papier.
2. Grand homme d'État de l'époque de la République (Ier siècle av. J.-C.).

admirateur de Cicéron, et il lui déplairait qu'on abîme ce texte. Écris au dos, tout simplement. Et cesse de discuter !

— Mais que dois-je écrire ? demanda encore Flavien, sur un ton lamentable.

— Je vais te dicter. »

Résigné, Flavien s'assit à la table, déroula le parchemin, en effaça les plis ; puis il prit un fusain et attendit la dictée de Jules. Pendant un moment, celui-ci marcha de long en large, en réfléchissant. Enfin il s'arrêta derrière Flavien et commença :

« *Mon cher empereur !...* »

Les protestations de Mucius et de Publius l'empêchèrent d'aller plus loin.

« Nous ne pouvons pas nous adresser ainsi à l'empereur ! dit Mucius.

— Et comment donc, alors ?

— Moi, je sais, intervint Antoine. Il faut lui dire : *Divin, gracieux, glorieux, vénéré et tout-puissant empereur !*

— C'est un peu beaucoup ! » fit observer Mucius.

Ils se mirent alors à discuter sur la façon dont il convenait de s'adresser à l'empereur ; puis ils discutèrent au sujet de chaque phrase que dictait Jules à l'infortuné Flavien, ainsi que sur la question de la signature. De la sorte, il leur fallut plus d'une heure pour rédiger la supplique[1]. Mais le résultat final les combla d'aise, et, à la demande générale, Flavien dut donner de nouveau lecture de leur œuvre :

« Divin et vénéré César,

Nous implorons la grâce de Rufus, fils de Praetonius : il est en prison parce qu'on l'accuse d'avoir écrit "Caïus est un âne" sur le temple de Minerve qui t'est consacré. Mais Rufus est innocent, car il est resté enfermé toute la nuit dans les Bains de Diane. Il a sauté dans la piscine par l'ouverture du toit. Ce devait être avant la deuxième heure de la nuit, puisqu'il y avait encore de l'eau dans la piscine. Or, les veilleurs de nuit affirment que l'inscription n'était pas tracée sur le temple à la cinquième heure de la nuit. Mais elle l'était déjà au lever du soleil. À ce moment-là, Rufus était encore enfermé dans les Bains de Diane, et il n'a pu en sortir qu'à l'arrivée du maître baigneur. Tout cela prouve donc que Rufus est innocent du crime dont on l'accuse.

Voilà pourquoi nous nous jetons à tes pieds pour implorer la grâce de notre ami.

LES ÉLÈVES DE L'ÉCOLE XANTHOS. »

---

1. Lettre où est formulée une demande de grâce ou de faveur.

« Clair et convaincant ! déclara Mucius en se frottant les mains avec satisfaction. »

— Il ne nous reste plus qu'à déposer la lettre au palais, dit Jules.

— Hé ! pas si vite ! intervint Publius. Avez-vous oublié ce que disait Scribonus ?

— Comment cela ? fit Mucius inquiet.

— Scribonus est le meilleur expert en écriture de Rome. S'il affirme que l'écriture est celle de Rufus, on peut être certain qu'il ne se trompe pas. »

Cette remarque leur fit l'effet d'une douche froide, car elle réduisait à néant la théorie de Mucius. De nouveau, les écoliers sentirent renaître leurs doutes et ils jetèrent des regards soupçonneux à leur ami qui restait silencieux.

« Tu as peut-être rêvé tout cela, lui dit gentiment Antoine.

— Et ça ? Est-ce que je l'ai rêvé ? hurla Mucius en fourrant le manteau de Rufus sous le nez d'Antoine. Et la lanterne que j'ai retrouvée aux Bains de Diane ?

— Tu m'étouffes ! gémit Antoine.

— Alors, ne raconte pas de bêtises ! Rufus est innocent. Ce n'est pas un rêve, c'est la réalité !

— Mais qui donc a écrit sur le temple ? demanda Jules. L'empereur voudra le savoir avant de prendre une décision !

— Quelqu'un a imité l'écriture de Rufus.

— Mais qui donc ? » insista Jules.

Au même instant, il y eut un bruyant remue-ménage dans le coin le plus sombre de la caverne, et une voix gronda :

« C'est moi ! »

Les écoliers se retournèrent d'un bond. Caïus avait surgi de derrière le bric-à-brac et s'avançait lentement vers eux.

« Oui, c'est moi qui ai écrit : "Caïus est un âne" sur le temple », dit-il en les regardant avec défi.

15

« C'est toi ? s'écrièrent les gamins stupéfaits.

— Oui. J'ai imité son écriture.

— Et pourquoi as-tu fait cela ? demanda Mucius.

— Pour me venger de lui.

— Et c'est donc toi aussi qui as attaqué Xantippe ? » demanda Flavien.

Caïus approuva d'un signe de tête.

« Et avec quoi l'as-tu assommé ?

— D'un coup de poing.

— Formidable ! s'exclama Antoine, admiratif.

— Et c'est également toi qui as dénoncé Rufus

au préfet de la Ville ? dit Mucius sur un ton menaçant.

— Non, ce n'est pas moi, affirma Caïus. Je voulais seulement qu'on lui donne une volée, mais je ne me doutais pas qu'on le mettrait en prison. »

À son tour, Publius prit la parole.

« Et comment as-tu fait pour imiter l'écriture de Rufus ? demanda-t-il.

— J'ai rempli de peinture les fentes des lettres, puis j'ai appuyé la tablette contre le mur.

— Très astucieux ! » dut reconnaître Publius.

Les autres admirèrent également ce procédé si simple dont ils n'auraient pas eu l'idée. Seul, Jules conservait un air méditatif et absent.

« Caïus est moins bête que nous ne le pensions, constata Publius. Il a même roulé Scribonus !

— Il ment ! lança soudain Jules.

— Non, je ne mens pas ! protesta Caïus, sans grande conviction.

— Si ! tu mens ! Tu n'as pas pu reproduire ainsi l'écriture de Rufus. L'inscription aurait été à l'envers !

— Mais c'est vrai ! » s'écria Mucius.

Il se retourna vers Caïus et le regarda avec surprise.

« Pourquoi ce mensonge ? » lui demanda-t-il.

Caïus garda le silence. Enfin, il détourna les yeux et dit avec peine :

« Ne discutons pas, voyons ! Amenez-moi chez le préfet de la Ville et dites-lui que c'est moi le coupable. On relâchera Rufus.

— Ah ! ah ! fit moqueusement Publius. Notre Caïus commencerait-il à éprouver des remords ? Regretterait-il d'avoir mouchardé Rufus à son père ?

— S'il est en prison, c'est par ma faute, grommela Caïus avec embarras.

— C'est tout de même bien de sa part qu'il consente à le reconnaître ! fit observer Jules sur un ton bienveillant.

— Réconcilions-nous avec lui, proposa Flavien. Il regrette tout ce qu'il a fait.

— Non, je ne regrette pas tout ! gronda Caïus. Mais est-ce que vous m'acceptez de nouveau pour jouer ?

— Il n'est pas question de jouer pour l'instant, dit sèchement Mucius. Il nous faut tout d'abord découvrir celui qui a imité l'écriture de Rufus. Sinon, notre ami est perdu.

— Oui, je le sais, murmura Caïus en soupirant. J'ai entendu tout ce que vous disiez. Je m'étais caché ici pour écouter ce que vous raconteriez sur moi. Comment savez-vous que quelqu'un a imité son écriture ?

— Nous n'en avons malheureusement pas la preuve, répondit Mucius. Et personne ne nous croira. On fera confiance à Scribonus. "Les deux écritures sont identiques", a-t-il dit. »

Soudain Jules se dressa d'un bond. Il se frappa le front en criant :

« J'y suis !

— Où donc ? maugréa Publius.

— J'y suis ! répéta Jules qui semblait en proie à une vive agitation. C'est évidemment comme ça !... Il est impossible que ce n'ait pas été comme ça !...

— Le voilà qui radote ! » dit Flavien.

Mais Jules reprit :

« Je sais comment on a reproduit l'écriture de Rufus ! Avec la pointe d'un couteau, on a incisé sa tablette en suivant le contour des lettres, puis on a appliqué ce pochoir sur le temple et on y a passé de la peinture ! Voilà pourquoi le "Caïus est un âne" inscrit sur le temple est identique à celui de la tablette de Rufus ! »

Ce fut une explosion de joie. Jules avait éclairci l'énigme ! Flavien et Antoine se mirent à danser d'allégresse, tandis que Mucius, rayonnant, frappait sur l'épaule de Jules en lui disant : « Tu es génial ! »

Publius lui-même ne souleva cette fois aucune objection.

« J'avais déjà songé à quelque chose dans ce genre, se contenta-t-il de dire avec un sourire un peu aigre.

— Rajoutons cela à la lettre ! cria Mucius. Dès ce soir, Rufus sera remis en liberté ! »

Flavien dut reprendre place à la table, et Jules lui dicta un *post-scriptum* contenant l'explication du faux en écriture. Mais avant que Flavien eût pu terminer la dernière phrase, une voix qu'ils connaissaient bien s'éleva soudain à l'entrée de la caverne :

« Ah ! j'ai quand même fini par vous attraper, espèces de galopins ! »

Et Xantippe entra en boitillant, appuyé sur sa canne.

Les écoliers furent figés de stupeur. Xantippe avait daigné se déranger en personne ! Qu'est-ce qui pouvait donc l'avoir incité à leur rendre visite dans leur caverne ? Très certainement, rien d'agréable pour eux !

En effet, Xantippe commença immédiatement à gronder :

« Si Rompus ne m'avait pas dit que vous étiez peut-être dans votre repaire, j'aurais perdu mon après-midi à vous chercher ! Ah ! j'en ai appris de belles sur votre compte, mes gaillards ! »

Il s'avança vers eux, chercha un siège des yeux, et Mucius s'empressa d'aller chercher une caisse qu'il lui offrit. Xantippe s'y assit avec précaution, jeta un regard désapprobateur dans cette caverne qui n'était pas précisément un modèle d'ordre et de propreté, puis il reprit :

« Livia et Rompus sont venus me voir. Ils espéraient que vous étiez chez moi, et ont été très déçus de ne pas vous y trouver. Livia m'a tout raconté et m'a demandé de l'aider. Je lui ai répondu que je ne pouvais pas faire grand-chose, car je ne suis pas citoyen romain[1], mais je lui ai du moins promis de diriger votre enquête. Là-dessus, je me suis immédiatement mis à votre recherche, et comme ma jambe me fait très mal, j'ai dû louer une litière avec deux porteurs. Ils m'attendent dehors, et chaque minute me coûte de l'argent. Donc, faisons vite ! Qu'a dit Lukos ? »

Les jeunes garçons conservèrent un silence embarrassé. Enfin, Jules murmura :

« Il n'a pas voulu nous répondre.

— Mais nous avons découvert que Rufus était innocent ! lança fièrement Mucius.

— Parfait ! dit le maître. Alors pourquoi n'êtes-

---

1. À Rome, pour être citoyen il fallait descendre de parents eux-mêmes citoyens (cela exclut donc les étrangers) et légalement mariés.

vous pas venus ensuite chez Livia, comme il avait été convenu ?

— Nous avons voulu écrire d'abord une lettre à l'empereur, répondit Jules, et nous lui avons démontré que Rufus était innocent. »

Xantippe leva ses gros sourcils broussailleux.

« Vous avez eu l'audace d'écrire à l'empereur ? Montrez-moi ça ! »

Mucius lui tendit le parchemin sur lequel Flavien avait écrit la lettre.

Xantippe se rapprocha de la lumière et se mit à lire à haute voix :

« *Jusques à quand, Catilina, abuseras-tu de notre patience ? Combien de temps encore serons-nous le jouet de ta fureur ? Jusqu'où s'emportera ton audace effrénée ?... »*[1]

Il s'interrompit, tourna les yeux vers ses élèves et demanda sur un ton glacial :

« Que signifie donc cette plaisanterie ?

— C'est un discours de Cicéron, répondit Jules.

— Je le sais ! Mais quel rapport avec Rufus ?

— Nous avons écrit la lettre au verso, lui expliqua Mucius.

— Vous auriez pu me le dire tout de suite ! » grogna le maître.

---

1. Début d'un discours très célèbre que Cicéron prononça contre Catilina, un homme qui fomenta un coup d'État contre la République.

Il retourna le rouleau de parchemin et lut la lettre en silence. Puis il demanda d'un air menaçant :

« Qui donc a écrit cette lettre ?

— C'est moi, avoua Flavien.

— Travail bâclé ! cria Xantippe. C'est bourré de fautes ! Ton orthographe est catastrophique ! Tu viendras me trouver dès la fin de ces vacances, j'aurai deux mots à te dire ! »

Il jeta le parchemin sur la table.

« Et par-dessus le marché, poursuivit-il furieusement, toutes vos preuves sont sans valeur. Ah ! ça ne m'étonne plus maintenant que vous soyez si faibles en mathématiques ! Asseyez-vous ! »

Docilement, les élèves s'installèrent sur les caisses.

« Avez-vous encore une vague idée de Pythagore ? » leur demanda Xantippe.

Les jeunes garçons s'empressèrent de répondre par l'affirmative, quoiqu'ils n'eussent plus la moindre idée de ce qu'avait bien pu faire ce fameux Pythagore.

« *Dans un triangle rectangle, le carré de l'hypoténuse est égal à la somme des carrés des côtés de l'angle droit*, énonça Xantippe. Qu'est-ce que cela ?

— Une devinette ! » grommela Caïus.

Xantippe lui lança un regard meurtrier, puis il se détourna avec mépris et interrogea Jules.

« C'est une preuve, répondit celui-ci.

— Complètement faux ! C'est un théorème ! Un théorème est une affirmation qui doit être démontrée. Or, vos prétendues preuves ne sont que des théorèmes, et vous êtes bien incapables de les démontrer. Quelqu'un peut-il prouver que Rufus s'est trouvé dans les Bains de Diane ?

— Non, dut reconnaître Mucius.

— C'est donc une hypothèse, dit le maître. Et sans témoins, vous ne pourrez rien prouver. Passons maintenant à l'inscription. Il n'est pas impossible que la tablette de Rufus ait été utilisée comme pochoir ; mais qui vous dit que ce n'est pas Rufus lui-même qui l'ait fait ? »

Jules leva le doigt.

« Et pourquoi Rufus l'aurait-il fait ? demanda-t-il. Il lui aurait été plus simple d'écrire directement sur le mur.

— Pas si simple que ça ! répondit le maître. As-tu déjà essayé d'écrire dans l'obscurité ? »

Jules ne sut que répondre.

« Ah ! tu vois ? fit Xantippe très satisfait. Toi, tu n'es même pas capable d'écrire correctement en plein jour ! »

Les jeunes garçons éclatèrent de rire, à l'exception de Jules, offensé.

« Silence ! ordonna le maître. Je ne suis pas venu ici pour vous amuser !

— Alors, tu crois, toi aussi, que Rufus est coupable ? demanda timidement Mucius.

— Ai-je dit cela ? cria Xantippe en devenant rouge de colère.

— Non.

— Dans ce cas, ne pose pas de questions aussi stupides. »

Puis le maître parut s'apaiser, et il resta un long moment silencieux, l'œil fixe et songeur. Les élèves n'osaient remuer le petit doigt. Ils attendaient avec résignation les critiques qui allaient encore pleuvoir sur eux.

Soudain, Xantippe tourna les yeux vers Mucius.

« Je ne crois pas que Rufus ait profané le temple, dit-il d'une voix plus douce. Et il nous faut essayer de le sauver. »

Ils furent tous très soulagés par ces paroles. Pour une fois, Xantippe manifestait un sentiment humain, et ils sentirent renaître l'espoir.

« Nous nous sommes creusé la cervelle pour découvrir le coupable ! dit Mucius.

— Avec une cervelle creusée, on ne peut penser logiquement, répliqua le maître. Mais je suis persuadé que vous avez négligé quelque important indice. Qui de vous connaît Archimède ? »

« Encore un de ces vieux Grecs ! » pensèrent les écoliers très déçus. Pourtant, cette fois, ils eurent la prudence de se taire. Seul, Antoine fut incapable de tenir sa langue.

« Moi, je connais Archimède ! annonça-t-il fièrement. Je le connais même très bien. C'est un changeur d'argent sur le Forum. Une fois, j'ai changé chez lui une pièce d'or contre vingt-cinq pièces d'argent, mais lorsque je les ai recomptées, je me suis aperçu qu'il n'y en avait que vingt-trois. Ces changeurs sont tous des voleurs !

— L'Archimède dont je parle est mort il y a plus de trois cents ans, dit simplement Xantippe.

— Alors, j'ai dû faire erreur, bredouilla Antoine.

— Archimède était un célèbre physicien et mathématicien, déclara Xantippe sur un ton doctoral. C'est lui qui a dit ces mots : "Donnez-moi un point d'appui, et je soulèverai le monde." Il nous faut, symboliquement parlant, un point d'appui. Vous allez donc me rapporter très exactement tout ce que vous avez appris sur cette affaire. Et n'oubliez rien ! C'est peut-être un détail insignifiant en apparence qui nous mettra sur la piste. »

Mucius lui fit alors le récit de tous les événements qui s'étaient déroulés depuis la fatale querelle entre

Rufus et Caïus. Lorsqu'il eut terminé, le maître resta un long moment plongé dans ses pensées, puis soudain il frappa le sol de sa canne.

« Parfait ! dit-il. Nous avons notre point d'appui : c'est l'information du journal. Qu'avez-vous pensé lorsque vous avez lu la nouvelle de la profanation du temple ?

— Nous avons été furieux, répondit Jules.

— Eh bien, cela aurait dû vous réjouir, car c'est un indice, négligé par vous, qui semble prouver l'innocence de Rufus.

— Pourquoi donc ?

— Parce que la nouvelle a été inscrite sur les panneaux avant que le temple eût été profané. Est-ce clair ?

— Pas clair du tout ! grogna Caïus.

— Je vais donc tout vous expliquer, reprit Xantippe. Le bureau qui publie le journal n'ouvre ses portes qu'à la troisième heure du jour, et le premier travail des employés est d'afficher sur le Forum le journal du matin. Mais les informations ont été rédigées la veille au soir. En effet, elles sont calligraphiées, ce qui demande beaucoup de temps. Si les employés devaient faire ce travail le matin même, le journal ne pourrait être affiché avant midi. Voilà pourquoi un scribe et un rédacteur restent au bureau jusqu'à la quatrième ou, au plus tard, la cinquième heure de la nuit afin de recevoir les dernières nouvelles. J'ai travaillé moi-même plusieurs années au bureau du journal, et je sais comment les choses s'y passent. Comme la nouvelle de la profanation du temple était dans la première édition du matin, cela signifie qu'elle a été remise au plus tard vers la quatrième heure de la nuit. Or, d'après les déclarations des deux veilleurs de nuit, le temple n'a été profané qu'après la cinquième heure. Par conséquent, l'article a été écrit avant l'acte délictueux. Est-ce clair ? »

Jules leva le doigt.

« Est-ce que, par exception, cette nouvelle n'aurait pu être rajoutée le matin même ?

— Non. On ne fait exception à la règle que pour des événements particulièrement importants. D'ailleurs Mucius nous a dit que cette information se trouvait au milieu de plusieurs autres. Si elle avait été rajoutée le matin même, elle aurait été placée sur un panneau spécial. En outre, cet article était d'une longueur inaccoutumée, et il faut qu'il ait été remis par une importante personnalité pour que le rédacteur n'ait pas osé y faire des coupures. »

Xantippe se leva, et, en s'appuyant sur sa canne, il se mit à marcher de long en large dans la caverne.

« Maintenant, reprit-il, nous devons trouver une réponse aux quatre questions suivantes :

« *a*) Comment cette haute personnalité savait-elle que "Caïus est un âne" serait inscrit sur le temple ?

« *b*) Quel intérêt cette haute personnalité avait-elle à ce que la nouvelle parût dans le journal ?

« *c*) Pourquoi les soupçons ont-ils été attirés, de façon si visible, sur les élèves de l'École Xanthos ?

« *d*) Quelle est cette haute personnalité ?

« Cette dernière question est celle qu'il importe de résoudre en premier lieu. Et cela devrait être relativement facile. Si nous parvenons à savoir quel est le messager qui a apporté la nouvelle au journal, nous saurons du même coup qui l'a envoyé. Vous irez donc au bureau du censeur[1], et vous demanderez à voir le rédacteur qui fait le service de nuit. Tâchez de lui faire dire le nom du messager qui a apporté la nouvelle de la profanation du temple. Puis vous reviendrez immédiatement chez moi et nous aviserons. Mais cette fois, s'il vous plaît, faites vite, et ne gaspillez pas votre temps en des parlotes inutiles ou en écrivant des lettres absurdes. Au travail, et bonne chance ! »

Là-dessus, il tourna le dos aux élèves et se dirigea en boitillant vers la sortie.

---

1. À Rome, les deux censeurs étaient chargés du recensement de la population et de la surveillance des mœurs. Mais sous l'Empire leur charge était réduite à des tâches administratives de peu de pouvoir.

« Un instant ! cria Jules. Et si la nouvelle avait été remise par un inconnu ? »

Xantippe revint sur ses pas.

« On n'accepterait jamais une nouvelle remise par un inconnu. Les messagers doivent être accrédités par ceux qui les envoient, et le rédacteur qui passerait une fausse nouvelle encourt la peine de mort ! Maintenant au travail ! »

Et il sortit de la grotte. Les élèves se précipitèrent derrière lui.

Les deux porteurs attendaient dehors avec la litière. Xantippe y grimpa, puis il ordonna aux hommes de le ramener à son école. Ils soulevèrent la litière, placèrent les brancards sur leurs épaules et s'engagèrent dans l'étroit sentier qui descendait au flanc du mont Esquilin. Les jeunes garçons qui la suivaient des yeux virent soudain la tête de Xantippe surgir entre les rideaux.

« Et tâchez de mettre un peu d'ordre dans votre caverne ! On se croirait dans une porcherie ! »

Puis la litière disparut vers le bas de la pente.

« Après tout, on ne l'avait pas invité à venir chez nous ! fit remarquer Publius, vexé par la dernière réflexion de leur maître.

— Vous avez compris, vous, ce qu'il a raconté ? demanda Caïus.

— On t'expliquera, lui dit gentiment Jules. Mais

c'est vraiment un as, notre Xantippe ! Nous n'aurions jamais trouvé ça tout seuls !

— Hé ! Où vas-tu ? cria Mucius au petit Flavien qui tentait de s'éloigner discrètement.

— Je... je rentre chez moi. Nous ne pouvons pas aller tous ensemble au bureau du censeur !

— Mais bien sûr que si ! répliqua Mucius. Et tout de suite ! Allons ! Suivez-moi ! »

16

Lorsque les écoliers arrivèrent au bureau du journal mural, situé à l'arrière du bâtiment des archives, ils se heurtèrent, sur le seuil, à un jeune gardien armé jusqu'aux dents et qui ne semblait pas commode.

« Circulez ! circulez ! grommela-t-il. Que venez-vous faire ici ? »

Mucius suivit le plan qu'ils avaient établi en prévision de cette éventualité.

« Il nous faut absolument voir les rédacteurs du journal, répondit-il en prenant un air important.

— Et que leur voulez-vous ? » demanda le gardien.

Il s'appuya contre le mur, ôta son casque et s'épongea le front, car il commençait à faire chaud.

« Nous apportons une nouvelle sensationnelle, dit Mucius.

— Avez-vous une attestation de l'expéditeur ?

— Nous n'en avons pas besoin. La nouvelle vient de nous.

— Alors, faites-moi le plaisir de décamper », répliqua le gardien sans manifester le moindre intérêt.

Les jeunes garçons se retirèrent dans un coin sombre, sous la colonnade des archives, d'où ils pouvaient continuer à observer le gardien. Leur plan avait échoué, et il leur fallait sans tarder trouver autre chose. Mais quoi ?

Caïus, qui, depuis l'aveu de son repentir, avait été de nouveau admis dans la bande, proposa tout simplement aux autres de bousculer le gardien et de se ruer dans l'immeuble.

« Et si vous n'osez pas, je m'en charge ! ajouta-t-il en bombant le torse.

— Tu te prends peut-être pour Hercule[1] ? lui demanda moqueusement Publius.

— Non, dit Mucius. Pas de violences ! Nous ris-

---

1. Nom latin d'Héraclès. Fils de Zeus et d'Alcmène, célèbre pour son courage et sa force, il fut pris d'un accès de folie et tua son épouse et ses enfants. À la suite de cela, il fut condamné à réaliser douze exploits, qu'on appelle « les travaux d'Hercule ».

querions de tout gâcher. Servons-nous de notre cervelle. »

Jules l'approuva.

« Pourquoi ne pas lui dire la vérité ? suggéra-t-il.

— Essayons ! répondit Mucius. Mais cette fois, c'est toi qui parles. »

Ils se rapprochèrent lentement de l'entrée. Le gardien s'était assis sur le socle d'une colonne et il astiquait avec amour son glaive qui étincelait au soleil. Il releva les yeux lorsque les jeunes garçons furent devant lui.

« Alors, quoi ? fit-il. C'est encore vous ?

— Nous voudrions te demander quelque chose, commença Jules d'une voix implorante.

— Vous ne m'avez pourtant pas l'air de petits mendiants ! répliqua le gardien. Que voulez-vous ? Acheter des sucettes ? Aller aux bains ?... »

Puis il ajouta en éclatant de rire :

« Eh bien, vous tombez mal ! Je n'ai pas un sou ! Il vous faudra chercher un autre imbécile !

— Nous ne mendions pas ! protesta Jules avec hauteur. Nous voudrions simplement savoir quel est le rédacteur qui, chaque soir, reçoit les dernières informations.

— Vous voulez parler de Mégabatès ?

— Oui, c'est lui. Pourrions-nous lui parler ?

— Mégabatès doit être encore chez lui en train

de dormir, dit le gardien. Comme il fait le service de nuit, il arrive plus tard que les autres rédacteurs.

— Je crois me souvenir qu'il n'habite pas très loin d'ici, lança Jules au petit bonheur.

— Si tu le connais, tu dois bien savoir où il habite !

— Mais bien sûr que nous le savons ! s'écria Antoine. Seulement, nous l'avons oublié ! Nous sommes si étourdis que nous oublions même parfois d'aller à l'école ! »

Le gardien se mit à rire. Ces écoliers l'amusaient, et ils lui rappelaient le temps, pas bien lointain encore, où il lui arrivait, à l'occasion, de faire l'école buissonnière.

« Mégabatès habite dans un meublé de la rue des Patriciens, dit-il. Juste au coin de la rue de la Subure. »

Puis il brandit son glaive de façon menaçante.

« Et maintenant, tâchez de filer ! rugit-il avec bonne humeur.

— Merci ! » lui crièrent les gamins qui s'enfuirent en riant.

Ils tournèrent au coin de la ruelle et se retrouvèrent sur le Forum. L'immense place était emplie d'une foule énorme, vraisemblablement attirée dehors par la belle journée de printemps. Le soleil brillait, le ciel était d'un bleu pur, et une légère brise soufflait du sud. Mais les élèves de l'École Xanthos n'avaient pas le temps de flâner, et, en jouant des coudes, ils se frayèrent un chemin à travers la foule. Au passage, Mucius jeta un regard à la sinistre prison municipale, située juste au pied du Capitole, et où se trouvait leur ami. Puis ils s'engagèrent dans une ruelle qui les mena rapidement à la maison dont leur avait parlé le gardien.

C'était un immeuble de location, haut de cinq étages, et assez délabré. Tout le rez-de-chaussée était occupé par de misérables boutiques. À l'angle, s'ouvrait une taverne d'aspect peu rassurant. Les écoliers découvrirent un étroit passage qui les conduisit dans une cour intérieure.

Vu de là, l'immeuble avait un peu meilleure apparence. À chaque étage couraient des galeries couvertes, reliées entre elles par des escaliers de bois.

« On se croirait dans un antre[1] de brigands ! murmura Antoine.

— Ne fais pas trop travailler ton imagination, lui répliqua Jules. Ce sont surtout de petits artisans ou des esclaves affranchis[2] qui habitent ici. Il y a pas

---

1. Caverne.
2. Les esclaves pouvaient être rendus libres par leurs maîtres : ils étaient alors « affranchis ». Mais pour autant ils n'avaient pas les mêmes droits que les citoyens.

mal d'étrangers parmi eux, mais ce ne sont pas des brigands ! »

Ils gravirent l'escalier de bois dont les marches avaient été polies par d'innombrables sandales. Une fois au premier étage, ils s'arrêtèrent, indécis. Plusieurs portes s'ouvraient sur la galerie. On entendait les bruits les plus divers : claquements d'assiettes, cris d'enfants, voix aigres de femmes et d'hommes qui se querellaient. Un chien aboyait, et, tout au fond de l'immeuble, quelqu'un chantait un refrain à la mode. Il planait des odeurs de savon bon marché, d'huile bouillante et d'oignons frits.

« Ça me donne mal au cœur ! dit Publius à mi-voix.

— Moi, je n'aimerais pas vivre ici ! grommela à son tour Caïus. Ça doit grouiller de poux et de puces ! »

Mucius haussa les épaules, puis il écarta le rideau de la porte la plus proche. Penchée sur un baquet fumant, une énorme femme frottait son linge sur une planche à laver. En apercevant les enfants, elle se redressa, le visage en feu, et leur cria furieusement :

« Voulez-vous filer, sales vauriens ! »

Sans se le faire dire deux fois, ils refluèrent précipitamment sur la galerie. À ce moment, ils virent un vieil homme, vêtu de haillons, qui s'avançait vers eux d'un pas vacillant.

« Où habite Mégabatès ? » lui demanda Mucius.

L'homme, qui sentait fortement le vin, bredouilla quelques mots en un langage incompréhensible, puis il montra du pouce les étages supérieurs et déploya ensuite les cinq doigts de sa main droite.

« Cinquième étage », traduisit Jules.

Ils s'écartèrent alors pour laisser passer l'ivrogne qui descendit l'escalier d'un pas mal assuré, traversa la cour en titubant et s'engouffra dans la porte de la taverne.

Lorsqu'ils furent arrivés au cinquième étage, Mucius s'approcha du rideau qui barrait la première porte.

« Mégabatès habite-t-il ici ? » cria-t-il.

À quoi une voix hargneuse répondit de l'intérieur : « Oui, entrez ! »

« Je crois qu'il est inutile de retirer nos sandales », murmura Mucius à ses compagnons, avant de pénétrer dans la pièce.

Le métier de rédacteur ne devait pas être très rémunérateur, car le logement de Mégabatès consistait en une petite chambre sans fenêtre et pauvrement meublée. L'homme était attablé devant une grosse platée de pois chiches. Avec sa petite barbiche grise et ses yeux mécontents, il rappelait un peu Xantippe. Sans se laisser déranger par l'entrée des jeunes garçons, il continua de manger. Finalement, il grommela, sans cesser de mastiquer :

« Que me voulez-vous ?

— Es-tu Mégabatès ? demanda Mucius.

— Que me voulez-vous ? répéta l'homme avec humeur.

— Nous désirons te parler à propos d'une chose très importante.

— Je suis Mégabatès, grogna l'homme en louchant sur son assiette. Mais je ne reçois pas pour l'instant.

— Nous nous excusons de te déranger, reprit poliment Mucius. Mais nous sommes très pressés.

— Moi aussi, je suis pressé, répliqua Mégabatès. Je dois aller au bureau. Revenez demain. »

Et il dut considérer que l'entretien était terminé, car il se mit en devoir d'engloutir une nouvelle portion de pois chiches.

Mucius ne faiblit pas.

« Nous voudrions seulement savoir si c'était toi qui, avant-hier soir, recevais les informations dans le bureau du censeur, dit-il.

— C'était moi », grommela Mégabatès, la bouche pleine.

Puis il avala péniblement et demanda :

« Pourquoi cette question ?

— Parce que nous voulons savoir quel était le messager qui t'a apporté la nouvelle de la profanation du temple.

— Secret professionnel ! » répliqua l'homme.

Il aiguisa son couteau sur le bord de l'assiette et se coupa une large tranche de pain.

« Dis-le-nous, je t'en prie ! implora Mucius.

— Mais qui es-tu donc ? s'écria Mégabatès, irrité par son insistance.

— Je m'appelle Mucius Marius Domitius. »

Mégabatès, inquiet, leva les yeux vers lui.

« Domitius ? répéta-t-il. Serais-tu parent du tribun Domitius ?

— Je suis son fils », répondit Mucius en prenant son air le plus modeste.

Mégabatès se dressa d'un bond. Il engloutit précipitamment sa bouchée de pain, puis s'inclina.

« Oh ! pardon ! Pourquoi ne l'as-tu pas dit tout de suite ? C'est sans doute ton père qui t'envoie ? »

Mucius approuva d'un signe de tête. Peu importait après tout ce petit mensonge imposé par les circonstances. La vie de leur ami Rufus était en jeu : ce n'était pas le moment d'être trop scrupuleux.

« Et moi, je suis le fils du sénateur Vinicius ! » déclara à son tour Caïus.

Mégabatès s'inclina également devant lui.

« Mais bien sûr ! bredouilla-t-il, comme s'il eût

été ébloui par tant de splendeur dans son humble demeure. Mais bien sûr !... Je suis à votre entière disposition... Permettez-moi de réfléchir... Avant-hier soir, dites-vous ?... Ah ! oui, je me souviens maintenant. Le messager est venu assez tard, vers la quatrième heure de la nuit... »

Les jeunes garçons échangèrent un rapide regard : Xantippe avait vu juste !

« Il apportait un pli scellé, poursuivit Mégabatès, qui portait la mention "Très urgent". Je l'ai ouvert : c'était la nouvelle de la profanation du temple. Comme cette information était longue, très longue, elle tombait au mauvais moment. J'aurais bien aimé refuser le pli en disant qu'il arrivait trop tard...

— Et pourquoi ne l'as-tu pas fait ? demanda Mucius.

— Comment l'aurais-je pu ! s'écria Mégabatès. Puisque le pli provenait de l'ex-consul Tellus !

— Tellus ! répétèrent les écoliers qui n'en croyaient pas leurs oreilles.

— Eh bien, oui, dit Mégabatès. Le messager avait été envoyé par l'ex-consul Tellus en personne ! »

17

Xantippe fut également fort surpris lorsqu'il apprit la chose.

Bien des années auparavant, Tellus avait été nommé généralissime[1] en Orient, et il avait remporté de brillantes victoires sur les Perses, les Arméniens et une demi-douzaine d'autres peuples. Après ces actions d'éclat, il avait fait un retour triomphal à Rome, puis s'était retiré de la vie publique pour jouir en paix de l'énorme fortune qu'il avait amassée au cours de ses campagnes. Depuis le temps, sa gloire avait quelque peu pâli,

1. Général en chef : il a sous ses ordres les autres généraux.

mais il continuait à faire parler de lui par les fêtes fastueuses qu'il donnait dans son palais. Pourtant on ne l'aimait guère ; on redoutait sa mauvaise langue ainsi que la forte influence qu'il continuait à exercer sur la vie mondaine et politique de la capitale. Il était étroitement lié avec un grand nombre de hauts dignitaires[1] et l'on prétendait même que l'empereur avait toute confiance en lui et le tenait au courant de ses plans les plus secrets.

Comme il avait été convenu, les écoliers étaient immédiatement retournés chez Xantippe pour lui communiquer leur découverte.

« Tellus ! répéta le maître en tiraillant sur sa barbiche, ce qui dénotait chez lui une intense activité cérébrale. Tellus ! Voilà qui est vraiment surprenant ! Cela confirme certes ma théorie au sujet de la haute personnalité qui serait mêlée à cette affaire, mais j'avoue franchement que je ne comptais pas sur un homme si haut placé ! Peu importe ! Cela ne doit pas nous faire dévier de notre ligne de conduite. Examinons maintenant d'un œil lucide cet étonnant résultat. N'est-ce pas, mes jeunes amis ? »

Les écoliers se rengorgèrent, car jamais encore leur maître ne s'était adressé à eux en termes aussi aimables.

---

1. Personne qui occupe une fonction publique importante.

« Il est difficile d'imaginer que Tellus ait quelque chose à voir avec le crime, reprit Xantippe. Pour quelle raison un homme comme lui pourrait-il vouloir faire retomber les soupçons sur un inoffensif gamin ? »

Antoine leva le doigt et dit :

« Tellus était peut-être jaloux parce que le père de Rufus venait de remporter une grande victoire sur les Gaulois. Les généraux se jalousent toujours entre eux. Pompée[1] voulait tuer César ; César voulait tuer Pompée ; puis Brutus[2] a tué César, et ensuite Antoine[3] a tué Brutus. Mon père a même connu un général qui s'est suicidé de rage en apprenant qu'un autre général avait gagné une importante bataille.

— Suffit ! Suffit ! interrompit Xantippe. Tu nous montreras ton savoir lors du prochain cours d'histoire. Certes, il est exact que l'envie et la jalousie poussent les hommes aux actions les plus insensées, mais Tellus s'est si souvent couvert de gloire qu'il ne peut prendre ombrage de la victoire de son collègue Praetonius. En outre, au moment où le temple a été profané, on ignorait encore tout, à

---

1. Général et homme politique qui fut le rival de César.
2. Homme politique romain qui se rallia à César, mais participa par la suite à son assassinat.
3. Commandant de César qui chercha à prendre le pouvoir après la mort de celui-ci. Brutus, assassin de César, s'est en réalité suicidé.

Rome, de cette victoire. Sinon, elle aurait été annoncée dans le journal de ce matin. Non ! le coupable devait avoir d'autres mobiles, et voilà pourquoi je suis persuadé qu'il ne peut s'agir de Tellus. Celui-ci n'aurait jamais risqué de compromettre sa situation en venant assommer un inoffensif pédagogue, et en souillant un sanctuaire. D'ailleurs, comment Tellus aurait-il pu savoir que Caïus et Rufus s'étaient disputés, et que la tablette de Rufus était ici, à l'école ? Vous êtes-vous précipités chez lui, le soir même, pour lui raconter toute l'histoire ?

— Bien sûr que non ! » s'écrièrent les écoliers.

Avec satisfaction, Xantippe ti9railla sa barbiche.

« Ah ! vous voyez bien ? dit-il. Tellus est donc hors de cause, c'est évident.

— Hypothèse ! » murmura Publius.

Par bonheur, Xantippe ne l'entendit pas.

« Examinons maintenant l'affaire sous un autre aspect, poursuivit-il. Tellus a envoyé le messager, c'est indéniable. Personne n'aurait osé se servir du nom de cet illustre personnage. Mais Tellus a peut-être été l'instrument inconscient du vrai coupable. Un viveur comme lui a des fréquentations assez suspectes, et il aime à s'entourer d'acteurs, de danseurs, d'acrobates et d'autres personnages douteux. Or, je sais justement que, cette nuit-là, Tellus a donné un banquet. Nous pouvons donc envisager la possibilité suivante : l'un de ses hôtes lui a raconté qu'il avait vu l'inscription sur le temple, et l'a persuadé d'envoyer un messager au journal. Il savait que Tellus, ami de l'empereur, serait indigné par ce sacrilège. Cet homme mentait, naturellement, car le temple n'était pas encore profané. Mais il a dû quitter la fête, un peu plus tard, pour aller tracer l'inscription. Peut-être n'avait-il pas eu l'occasion de le faire auparavant ? Mais comme il voulait jeter sans tarder les soupçons sur Rufus, il a insisté pour que Tellus envoyât le messager au journal avant la fermeture du bureau. À nous de découvrir quel était ce mystérieux invité. »

Publius leva le doigt et dit :

« Tellus reçoit tant de gens chez lui, que nous pourrions aussi bien chercher le coupable sur le Forum.

— Cesse donc de faire le malin ! répliqua Xantippe. Oui, je sais fort bien que Tellus reçoit de nombreux invités, mais celui qui nous intéresse doit répondre à des conditions bien définies. En se rendant chez Tellus, il faut qu'il soit passé devant le temple de Minerve, sinon il n'aurait pu prétendre avoir découvert l'inscription. »

Là-dessus, Xantippe se leva et se dirigea en boitillant vers le plan de Rome accroché au mur.

« Suivez-moi bien ! reprit-il. La villa de Tellus se

trouve ici, dans les jardins de Lucullus[1]. Les invités de Tellus sont de hauts dignitaires qui habitent pour la plupart au voisinage du palais impérial sur le mont Palatin[2]. Comme vous pouvez le voir, ils doivent donc passer par le Forum et par la Rue Large pour se rendre aux jardins de Lucullus. Nul n'aurait l'idée de faire, pendant la nuit, ce long détour inutile par le mont Esquilin. Les invités qui habitent sur le Viminal[2] ou le Quirinal[2] sont également hors de cause, car le temple de Minerve se trouve à l'opposé. Restent ceux qui habitent sur le mont Esquilin. Nous pouvons donc circonscrire nos recherches à un très petit nombre de personnes.

— Peut-être l'invité n'a-t-il pas tracé l'inscription lui-même, mais a chargé un esclave de le faire ? suggéra Jules.

— Non, répondit Xantippe en secouant la tête. C'est pratiquement impossible. Vous connaissez le proverbe : "L'arme la plus dangereuse d'un esclave, c'est sa langue !" Jamais un homme riche ne confiera un secret à un esclave, car il aurait trop peur que celui-ci ne bavarde ou ne lui extorque de l'argent pour prix de son silence. Non ! Un homme

---

1. Romain célèbre pour son goût de la bonne chère.
2. Collines de Rome

riche doit commettre ses crimes lui-même, s'il veut dormir tranquille.

— Et si, tout simplement, nous posions la question à Tellus ? » proposa Mucius.

Xantippe s'y opposa.

« Cela nous ferait plus de mal que de bien, répondit-il. Tellus est l'ami de tous les hauts dignitaires. Et, comme il tient à rester en bons termes avec tous, il ne nous donnera aucun renseignement. Les loups ne se mangent pas entre eux !

— Nous ne découvrirons jamais cet homme ! s'écria Jules avec un accent de découragement. Nous ne pouvons plus compter que sur l'aide des dieux. Si nous leur offrions un sacrifice ?

— Allons ! allons ! fit Xantippe. Ne nous lançons pas tout de suite dans des dépenses inutiles ! Comme dit le proverbe : "Aide-toi, le Ciel t'aidera !" Avant d'en venir là nous pouvons encore faire une autre tentative, et il y a justement une circonstance heureuse qui vient à point pour nous servir. Tellus est certes très prodigue lorsqu'il s'agit de ses plaisirs, mais en ce qui concerne sa sécurité personnelle il fait preuve d'un esprit très calculateur. Un politicien ne sait jamais s'il ne tombera pas un jour en disgrâce, et dans ce cas-là il est utile de pouvoir faire appel aux amis d'autrefois. Mais quand les choses vont mal, la plupart de vos amis ont u fâcheuse tendance à vous oublier. Tellus, lui, est un malin. Il tient une sorte de livre d'or et prie tous ses hôtes de le signer. Comme un livre ordinaire peut se perdre ou être détruit, le livre d'or de Tellus consiste en un mur de marbre dans la grande salle de son palais. Il a fait préparer une peinture indélébile, et ses hôtes tracent leur nom sur le marbre à l'aide d'un pinceau. En tête de chaque liste de noms, Tellus note la date de la fête. Nous ne pouvions souhaiter mieux, car nous trouverons ainsi, sous la date du 20 mars, tous les noms des personnages auxquels nous nous intéressons.

— Comment pourrons-nous les relever ? demanda Mucius.

— J'ai imaginé un plan, répondit Xantippe. Ce qui m'inquiète, c'est qu'il sera peut-être difficile de retenir tous ces noms. Lequel de vous a la meilleure mémoire ?

— C'est moi ! cria Antoine. J'ai une mémoire phénoménale, et je me souviens encore du temps où j'étais au berceau. C'était épouvantable ! J'étais si furieux de ne pas savoir parler que je ne cessais de hurler. »

Xantippe haussa les épaules.

« Cela ne prouve rien. Moi aussi, je me souviens ı temps où j'étais au berceau ! »

ɛs écoliers éclatèrent de rire. L'idée que Xantippe avait été lui aussi un bébé était pour eux d'un comique irrésistible.

« Silence ! ordonna le maître. Si vous voulez rire faites-le chez vous ou dans la rue. En ma présence, on ne rit pas ! »

Jules intervint alors en faveur d'Antoine.

« Il a vraiment une excellente mémoire, affirmat-il. Il lui suffit de lire une fois un texte pour le savoir par cœur.

— Tiens ? Et pourquoi ne sait-il jamais ses listes de mots grecs ?

— C'est qu'il ne les regarde même pas », grommela Caïus.

Xantippe hésitait encore.

« Pensez-vous vraiment que ce soit lui qui ait la meilleure mémoire ?

— Oui ! répondirent-ils en chœur.

— Alors, c'est bon, dit le maître sans manifester un grand enthousiasme. Il ne nous reste plus qu'à l'envoyer chez Tellus.

— Moi ? s'écria Antoine bouleversé de joie.

— Oui, toi. Tu lui apporteras une lettre de ma part. Il y a quelques années, j'ai fait pour lui des recherches historiques, et il me connaît. Je lui demanderai d'intervenir auprès de l'empereur en faveur de Rufus. Il n'en fera rien, bien sûr, mais cela importe peu. Tu remettras cette lettre au portier en disant que tu attends la réponse. Tiens ! prends ces dix sesterces ; tu les glisseras dans la main du portier pour qu'il te permette d'entrer. Il t'introduira dans la grande salle où se trouve le mur de marbre, et pendant que l'on portera mon message à Tellus tu auras largement le temps de rechercher les noms inscrits sous la date du 20 mars et de les apprendre par cœur. Ensuite, tu reviendras immédiatement ici, sans flâner en route, car tu risquerais d'oublier les noms. Lorsque nous les connaîtrons, nous pourrons rapidement savoir où habitent ces diverses personnes, et nous ne tarderons guère à identifier le coupable. »

Puis Xantippe écrivit quelques mots sur un morceau de parchemin, le roula et le tendit à Antoine.

« Voilà ! dit-il. Et maintenant, file ! Tu peux être de retour dans une heure.

— Bien avant, même ! cria Antoine en s'élançant dehors.

— Pourquoi n'y allons-nous pas tous ensemble ? demanda Mucius un peu déçu.

— C'est inutile, répondit Xantippe. Et cela risquerait de distraire Antoine. Il lui faut pouvoir concentrer son esprit sur les noms.

— Alors, nous allons rester une heure à ne rien faire ? grommela Caïus avec humeur.

— Je n'en vois pas la nécessité, répliqua sèchement le maître. Puisque vous êtes là, vous pouvez profiter de l'occasion pour travailler. À propos : et le pensum que je t'avais donné ?

— Le pensum ? répéta Caïus.

— Oui. Tu devais me calligraphier dix fois ta liste de mots grecs.

— Pas eu le temps !... J'ai été malade.

— Tiens ! tu étais malade ? C'est très regrettable. Mais aujourd'hui tu m'as l'air en excellente santé. Prends donc cette tablette et ce stylet, va t'asseoir dans la salle de classe, et au travail ! Quant aux autres, ils prendront chacun un volume de Salluste[1] dans la bibliothèque, et ils réviseront un peu l'histoire romaine. »

Les écoliers allèrent chercher les livres, puis ils passèrent dans la pièce voisine et prirent place sur leurs bancs. Caïus fixait un regard furieux sur sa tablette, car il n'avait plus le moindre souvenir de cette maudite liste de mots grecs. Ses camarades ne montraient guère plus d'enthousiasme au travail. Ce Salluste, ils n'avaient d'ailleurs jamais pu le souffrir. Aussi leurs pensées suivaient-elles Antoine dans sa mission, et ils regrettaient amèrement de n'avoir pas une aussi bonne mémoire que leur ami.

---

1. Grand historien romain du Ier siècle av. J.-C.

18

Au bout d'une heure et demie, Antoine n'était toujours pas de retour, et ses camarades commençaient à bouillir de rage à l'idée qu'il les abandonnait en tête à tête avec cet ennuyeux Salluste. Ils regardaient plus fréquemment du côté de la rue que dans leur livre, et, de temps à autre, l'un d'eux se glissait dehors pour voir si Antoine ne revenait pas.

Bientôt, Xantippe, lui aussi, s'étonna de ce retard, et il appela les jeunes garçons dans sa chambre.

« Je n'étais guère partisan de confier à Antoin

une si importante mission, leur dit-il. Maintenant, il doit traîner sur le Forum ou regarder les boutiques. Le mieux serait que vous partiez à sa recherche. »

À peine avait-il dit ces mots que le rideau se souleva et qu'Antoine apparut sur le seuil. Mais dans quel accoutrement ! Il portait sur la tête une couronne de fleurs, et il était drapé dans un grand manteau en poil de chameau qui traînait derrière lui sur le sol. Ses pieds étaient nus.

« Coucou, les amis ! » cria-t-il.

Il fit trois pas en avant, mais soudain il vacilla et dut s'appuyer au mur pour ne pas tomber.

« Ah ! si vous saviez tout ce que j'ai fait ! reprit-il en riant. Si vous saviez... »

Là-dessus, il étendit les bras, esquissa un pas de danse, puis il s'embarrassa les jambes dans son manteau et tomba de tout son long.

« Il est devenu fou ! gémit Flavien.

— Non ! répliqua furieusement Xantippe. Il est ivre ! Cela dépasse tout ce que j'ai vu jusqu'à présent !

— Il a dû boire les dix sesterces », dit à son tour Publius.

Mucius se pencha sur son ami et le secoua.

« Allons ! Antoine ! Reprends-toi !

— À ta santé ! » murmura Antoine.

Mucius se redressa, stupéfait.

« Mais oui ! il sent le vin à plein nez !

— Versez-lui un seau d'eau froide sur la tête »,
ordonna le maître.

Caïus et Publius se précipitèrent dans la cuisine
et en rapportèrent un baquet d'eau qu'ils déver-
sèrent sur Antoine. Celui-ci fit un saut de carpe et
les regarda avec stupeur.

« Espèce de propre à rien, où es-tu allé ? » tonna
Xantippe.

Antoine se redressa d'un bond. Il arracha de ses
épaules le manteau ruisselant et le présenta à Xantippe.

« Le manteau !... La chaîne !... bredouilla-t-il.
C'est la chaîne que tu avais arrachée à ton agresseur... »

En effet, au col du manteau pendillait la chaîne
d'or que les écoliers avaient retrouvée sous
l'armoire.

« C'est exact, murmura le maître éberlué. On
peut même voir l'endroit où le crochet a été
recourbé. À qui donc appartient ce manteau ?

— À Tellus », répondit Antoine qui s'épongeait
le visage avec un coin de sa toge.

Xantippe plissa les yeux.

« Quoi ? s'écria-t-il comme s'il avait mal co

pris. Et comment es-tu entré en possession de ce manteau ?

— Ah ! c'est une histoire formidable ! répondit gaiement Antoine.

— Tu es donc allé chez Tellus ? demanda Mucius.

— Bien sûr ! Je ne me suis jamais tant amusé de ma vie ! Et à la fin, j'ai même failli être tué !

— Qu'est-ce que tu racontes ? » hurla Publius.

Jules haussa les épaules.

« Parlons sérieusement, dit-il. As-tu les noms ?

— Pas pu les voir... Ils n'y étaient pas ! »

En hochant la tête, Xantippe considérait toujours le manteau et la chaîne.

« Comment sais-tu que ce manteau appartient à Tellus ? demanda-t-il.

— Parce que je l'ai pris dans sa chambre !

— Tu es donc entré dans sa chambre ? Comment as-tu fait ?

— Eh bien, voilà ! commença Antoine avec entrain. Tellus recevait des invités. J'ai donné la lettre et les dix sesterces au portier, mais il ne m'a pas permis d'entrer et m'a dit d'attendre sur le seuil. Au bout de quelques minutes, Tellus en personne est arrivé, un peu vacillant, la lettre à la main.

est petit, gros et chauve, avec une longue cicatrice le crâne. Sur la tête il portait une couronne de laurier en or et il ressemblait à Bacchus[1]. Il m'a embrassé en me disant qu'il était très heureux de faire ma connaissance, et il m'a invité à entrer. Je l'ai suivi. Au passage, j'ai essayé de jeter un coup d'œil sur le mur de marbre, mais Tellus m'a rapidement entraîné dans une autre salle où se trouvaient ses invités. Quel palais, mes amis ! Ça ne peut pas être plus beau chez l'empereur ! Tellus m'a présenté à ses invités, et il m'a fait prendre place sur le lit central[2] en disant que j'étais l'hôte d'honneur. Un esclave m'a noué une serviette autour du cou, puis on m'a apporté les mets les plus invraisemblables : langues de flamant à la sauce au vin, sauterelles au miel, cuisses de grenouilles, omelette d'œufs d'autruche et rôti d'antilope. Après chaque bouchée, un esclave m'essuyait les lèvres. Tellus trinquait sans arrêt avec moi, et je lui rendais la politesse. Peu à peu, tous les convives sont devenus très gais et se sont mis à raconter des histoires. Tout à coup, j'ai eu mal au cœur, tout s'est mis à tourner. Alors j'ai pris peur, je me suis dit que je ne serais peut-être plus capable de lire les noms sur le mur et j'ai décidé de ne plus manger, ni boire.

---

1. Dieu du Vin et de l'Ivresse ; représenté avec une couronne de laurier sur la tête et accompagné de ménades, jeunes femmes dansant autour de lui.

2. Les Romains, pour les festins, s'allongeaient sur des lits où des esclaves venaient les servir.

— Pourquoi n'as-tu pas filé à ce moment ? demanda Flavien.

— J'aurais bien voulu le faire, si Tellus m'avait permis de partir. Enfin, j'ai eu l'idée de lui dire que j'étais obligé de sortir parce que je me sentais mal. Tout le monde a éclaté de rire, et Tellus a ordonné à un esclave de m'accompagner dehors. "Et ramène-le sans faute !" lui a-t-il crié comme nous quittions la pièce. Nous sommes passés dans la grande salle, j'ai cherché les noms sur le mur, tout se brouillait devant mes yeux. Alors, pour gagner du temps, j'ai dit à l'esclave que je voulais moi aussi écrire mon nom sur le mur. "Mais tu n'es qu'un petit garçon ! m'a-t-il dit en riant. — Je suis le neveu de l'empereur !" lui ai-je répliqué. Là-dessus, il s'est dépêché d'aller chercher de la peinture et un pinceau, ce qui m'a permis de découvrir la date du 20 mars. Il n'y avait pas de noms en dessous ; la date elle-même avait été barrée.

— Tiens ! tiens ! fit Xantippe. La fête avait été décommandée ?

— Et comment as-tu pu filer ? demanda Flavien.

— Eh bien, je n'ai pas attendu le retour de l'esclave ! Je me suis engagé dans un couloir, puis, tout à coup, j'ai entendu des pas derrière moi. Alors je me suis jeté dans une chambre dont j'ai refermé la porte, puis je me suis caché derrière un manteau accroché dans une niche. Bientôt, j'ai entendu les esclaves qui me cherchaient. L'un d'eux disait : "Il est peut-être là-dedans ? Si nous allions voir ?" Mais un autre lui a rappelé qu'il était interdit, sous peine de mort, de pénétrer dans la chambre de leur maître. Ils ont alors décidé de fermer la porte à clef et d'aller demander à Tellus ce qu'il fallait faire. Quand ils se sont éloignés, j'ai écarté le manteau pour jeter un coup d'œil dans la chambre, et mon nez s'est cogné sur la chaîne. Je l'ai immédiatement reconnue. J'ai enroulé le manteau autour de mon bras, j'ai brisé ainsi la fenêtre et j'ai pu m'enfuir sans qu'on me voie. Formidable, pas vrai ?

— Tu as bien mené ton affaire, reconnut Xantippe.

— Ah ! vous voyez ? s'écria Antoine rayonnant. Ce n'était vraiment pas la peine de m'inonder d'eau froide ! Je n'étais pas ivre, mais simplement fou de joie.

— Tu aurais peut-être préféré qu'on t'arrose de vin ? » demanda ironiquement Publius.

Xantippe posa sur ses élèves un regard intrigué.

« Curieux ! dit-il. Comment cette chaîne s'est-elle retrouvée sur le manteau de Tellus ? C'éta[i] pourtant vous qui l'aviez en dernier lieu !

— Nous l'avions laissée chez Lukos quand nous nous sommes enfuis », répondit Jules.

Xantippe sursauta.

« Mais c'est un indice capital ! s'écria-t-il. Cela nous prouve que les deux hommes se connaissent ! Lukos devait savoir que la chaîne appartenait à Tellus, et il la lui a rendue. »

Pendant quelques instants, il examina le manteau.

« Les officiers supérieurs des armées d'Orient en portent de semblables, poursuivit-il. La chaîne vient également de là, on le voit aux hiéroglyphes. Or, Tellus a passé de longues années en Orient. Donc, ce manteau lui appartient, cela ne fait pas de doute !

— Ce serait donc Tellus qui t'aurait attaqué ? demanda Mucius, stupéfait.

— Les généraux retraités ne se transforment habituellement pas en cambrioleurs, répondit Xantippe. Et pourtant, cette fois, il semble bien que ce soit le cas !

— Peut-être quelqu'un lui aura-t-il emprunté son manteau ? suggéra Jules.

— Non, dit le maître. On n'emprunte pas un manteau de général. Si invraisemblable que cela paraisse, nous ne pouvons faire autrement que de soupçonner Tellus. C'est d'ailleurs lui qui a envoyé le messager au journal. Et s'il a décommandé son banquet, c'est sans doute pour avoir le temps de faire son mauvais coup. »

Il y eut un long silence.

« Comment parviendrons-nous à le démasquer ? » demanda enfin Mucius.

Mais Xantippe, plongé dans ses pensées, ne répondit rien.

« Nous devrions l'accuser publiquement, du haut de la tribune des orateurs, dit Jules.

— Ou bien, nous écrirons sur tous les murs : "Tellus est l'assassin de Rufus !", proposa à son tour Publius.

— Rufus n'a pas été assassiné ! objecta Flavien.

— Peu importe ! répliqua Publius. Celui qui est en prison peut être déjà considéré comme mort. »

Soudain Xantippe se redressa, les yeux brillants.

« Apportez-moi mes sandales, mon manteau et ma canne ! s'écria-t-il. Je sais ce qu'il me reste à faire ! »

Les jeunes garçons s'empressèrent de lui apporter ce qu'il demandait, et ils contemplèrent leur maître avec curiosité.

« Je vais aller trouver Tellus et je lui dirai en face qu'il est le coupable ! annonça Xantippe.

— Il ne te fait pas peur ? » demanda doucement Flavien.

Les yeux de Xantippe jetèrent des éclairs.

« Il faut avoir le courage de ses opinions, dit-il furieusement, en commençant à dérouler le pansement de sa jambe. Je lui demanderai pourquoi il m'a attaqué et cambriolé. J'exigerai qu'il fasse immédiatement remettre Rufus en liberté. S'il refuse, je le menacerai de faire paraître tout cela dans le journal de demain. Il sera obligé de céder. Un homme politique ne redoute rien tant que l'opinion publique. En avant ! aidez-moi à mettre mon manteau ! »

Mucius et Jules le drapèrent dans son manteau. Xantippe prit sa canne et se redressa de toute sa taille.

« Attendez-moi ici, reprit-il. Si je ne suis pas de retour dans deux heures, avertissez la garde ! »

Et il se dirigea vers la porte.

« Un instant ! lui cria soudain Mucius. Je songe à quelque chose : tu nous as bien dit que tu avais lutté avec ton agresseur ? »

Xantippe se retourna.

« Oui, dit-il avec impatience. Et après ?

— Cet homme était-il grand ou petit ?

— Il était grand. Pourquoi cette question ? Il avait au moins une tête de plus que moi.

— Mais Tellus est petit ! dit Mucius.

— C'est vrai ! s'écria Antoine. Il est nettement plus petit que toi ! »

Xantippe hésita un instant, puis il revint lentement à sa place et se rassit.

« Enlevez-moi mon manteau », dit-il en soupirant.

Après un silence, il murmura :

« Tellus est petit... Mon agresseur était grand... Comment est-ce possible ? »

Soudain, on entendit des pas à côté dans la salle de classe. Xantippe, surpris, releva la tête.

« Qui va là ? cria-t-il.

— Un ami ! » répondit une voix douce et grave.

Et un vieil homme entra dans la pièce. Il était en haillons ; ses pieds nus étaient chaussés de sandales de corde. Il posa un regard triste sur Xantippe et ses élèves, puis il dit :

« Salut à vous !

— Salut à toi ! répondit Xantippe. Qui es-tu ?

— Je sors de prison et je vous apporte un message de votre ami », dit le visiteur d'une voix lasse.

Les jeunes garçons l'entourèrent, les yeux brillants, et lui demandèrent tous en même temps :

« Tu sors de prison ? Comment va Rufus ?

— Il vit encore, dit le vieux. J'étais enchaîné avec lui dans le même cachot... »

Il éleva ses bras maigres, montra ses poignets meurtris, puis il reprit :

« On m'a libéré tout à l'heure...

— Et Rufus ? demanda Mucius.

— Hélas ! non, répondit le vieux en soupirant. Il attend de passer devant le tribunal, mais nul ne se soucie de lui. Il était couché à côté de moi dans le cachot ; on ne nous donnait rien à manger ou à boire. Mais c'est un garçon courageux, il ne pleure pas ! »

Les élèves se taisaient, consternés. Enfin Xantippe toussota pour s'éclaircir la voix.

« As-tu pu causer avec lui ? demanda-t-il.

— Non, dit le vieux. Nous n'avions pas le droit de dire un mot. Ceux qui n'obéissaient pas étaient roués de coups. Lorsque le gardien vint m'enlever mes chaînes, Rufus s'est redressé et m'a regardé d'un air implorant. J'ai compris qu'il voulait me dire quelque chose mais qu'il n'osait pas. Pourtant, au moment où je sortais du cachot, il m'a crié : "Va à l'École Xanthos ! Et dis à mes amis d'arracher sa peau de mouton au loup rouge !" Il ne put en dire davantage, car le gardien furieux se mit à le frapper à coups de bâton. Je suis immédiatement venu ici pour vous transmettre son message : "Arrachez sa peau de mouton au loup rouge !" Je ne vois pas ce que cela veut dire, et vous le saurez peut-être mieux que moi. Mais faites vite, si vous ne voulez pas qu'il périsse en prison ! »

Sur ces mots, le vieil homme s'inclina et quitta silencieusement la pièce. Pendant un moment, Xantippe et ses élèves fixèrent la porte d'un regard troublé. Pas plus que le messager, ils ne devinaient ce qu'avait voulu dire Rufus.

« Nous devons donc arracher sa peau de mouton au loup rouge, murmura enfin Jules. Qu'est-ce qu'il entend par là ?

— Il veut dire que le loup rouge porte une peau de mouton », répondit Caïus.

Mucius haussa les épaules et se tourna vers Xantippe.

« Sais-tu qui est le loup rouge ? lui demanda-t-il.

— Connais pas ! grogna le maître.

— Et cette peau de mouton ? Ne pourrait-elle pas nous mettre sur la voie ?

— Le loup revêtu d'une peau de mouton, dit Xantippe. C'est une vieille fable. Nous l'étudierons dès la fin de ces vacances. »

Les jeunes garçons estimèrent qu'une telle promesse ne leur était que d'un maigre secours dans leur situation présente. Aussi continuèrent-ils à discuter entre eux.

« Le loup rouge doit être le coupable, dit Jules.

— Oui, mais quel rapport tout cela a-t-il ave

Rufus ? demanda Mucius. Tellus n'est pas un loup rouge !

— Je ne comprends pas pourquoi Rufus n'a pas tout simplement donné son nom, dit à son tour Publius. À quoi bon cette devinette ?

— Taisez-vous ! leur ordonna Xantippe. Réfléchissons méthodiquement. Rufus n'a pas donné le nom du coupable parce qu'il ne voulait pas que les gardiens pussent l'entendre. Cela prouve de nouveau que le coupable est une haute personnalité. Rufus a dû bien réfléchir au message qu'il nous envoie. Les gardiens ne peuvent savoir qui est ce loup rouge, mais Rufus suppose que nous sommes capables de le deviner. Hélas ! ce n'est pas le cas, et nous nous trouvons dans une impasse.

— Il y a de quoi désespérer ! » soupira Mucius, traduisant ainsi l'état d'esprit de tous ses camarades.

Dehors, le jour baissait, et de violentes bourrasques faisaient claquer les volets des fenêtres. Bientôt, il se mit à pleuvoir. Antoine s'approcha de la fenêtre et jeta un regard inquiet dans la rue. Soudain, il s'accroupit précipitamment.

« Voilà Tellus ! lança-t-il d'une voix contenue. Il passe sur l'autre trottoir ! »

19

Les écoliers se précipitèrent vers la fenêtre, mais Antoine se hâta de leur crier :

« Baissez-vous, pour qu'il ne vous voie pas ! »

Aussitôt, ils se jetèrent sur le sol, rampèrent jusqu'à la fenêtre et regardèrent prudemment par-dessus l'appui. Xantippe, lui aussi, avait sauté sur ses pieds et s'approchait en rasant le mur.

De l'autre côté de la rue, un petit homme replet marchait à pas rapides dans la direction du Forum. Il portait un grand manteau dont le capuchon était rabattu sur sa tête, et il se courbait parfois en deux pour lutter contre le vent et la pluie.

« Comment peux-tu savoir que c'est Tellus ? demanda Mucius d'une voix étouffée.

— Je l'ai reconnu ! répondit Antoine. Pendant un instant, le vent avait rabattu son capuchon, et j'ai vu son crâne chauve avec la cicatrice. C'est lui, sans aucun doute ! Il a regardé par ici, mais il ne m'a pas vu.

— Il va probablement chez Lukos », murmura Xantippe.

Mais Tellus passa devant la porte de Lukos, et ne s'arrêta que trois maisons plus loin, sur le seuil d'une boulangerie. Il se retourna pour jeter un coup d'œil à l'École Xanthos, puis il disparut dans la boutique.

« Tellus va acheter son pain ! » s'écria Flavien.

Xantippe revint jusqu'à son lit, s'assit dessus, et se frotta la jambe en gémissant. Puis il fit signe aux élèves d'approcher et leur dit :

« Un millionnaire ne va pas acheter lui-même son pain. Il ne sort d'ailleurs presque jamais sans être accompagné d'esclaves ou de clients. Tout cela est très suspect. Tellus a peut-être constaté la disparition de son manteau, et il a rendez-vous en cachette avec quelqu'un.

— Avec le loup rouge ? » suggéra Antoine.

Xantippe haussa les épaules.

« Que ce soit avec lui ou avec un autre, dit-il, c'est ce qu'il nous faut savoir.

— Veux-tu que j'aille jeter un coup d'œil ? proposa Mucius.

— Non, dit Xantippe. Il serait trop dangereux d'y aller seul. Un criminel aux abois ne recule pas devant un nouveau crime. Allez-y tous ensemble ; vous êtes six, et il ne peut rien vous arriver de fâcheux. Mais ne vous quittez pas d'une semelle et tâchez d'ouvrir les yeux ! En cas de danger, filez au plus vite ! Pas d'héroïsme inutile ! »

Enthousiasmés, Mucius, Antoine, Caïus et Jules se précipitèrent dehors. Publius les suivit avec un petit sourire railleur : il ne se faisait pas d'illusions sur le succès de cette entreprise. Flavien, lui, formait l'arrière-garde, comme d'habitude.

Une fois dehors, les jeunes garçons se mirent à courir sous la pluie qui faisait rage, et s'engouffrèrent dans la boulangerie.

« Hé là ! s'écria le boulanger tout surpris. Qu'est-ce que cette invasion ? L'école est finie ? »

Il connaissait bien les gamins qui, à chaque récréation, venaient lui acheter des petits pains et des biscuits. Sans même se donner la peine de répondre, les écoliers entreprirent de fouiller boutique, mais ce fut en vain. Tellus avait di

Le boulanger les regardait faire avec ahurissement. Enfin, Mucius revint vers lui.

« Où donc est passé ce petit homme qui portait un manteau à capuchon ? demanda-t-il.

— Ah ! c'est donc lui que vous cherchez ! répliqua l'homme en riant. Il vient de sortir par là. »

Et il montra d'un geste une petite porte au fond de la boutique.

« Par là ? Où allait-il ?

— Ma foi, je n'en sais rien ! dit le boulanger. C'est un drôle de numéro ! Trois ou quatre fois par semaine, il passe par là. Il entre par la porte de devant et sort par-derrière. C'est tout ce que je sais.

— Tu mens ! lança Mucius.

— Je veux bien être pendu si je mens ! protesta l'homme. D'ailleurs, ça ne me regarde pas. Il me paie cent sesterces par mois pour que je lui permette de passer. Une seule fois, je me suis risqué à lui demander : "Hé ! l'ami ! où cours-tu comme ça ?" Mais il a tiré un glaive de dessous son manteau et m'a répliqué, avec un mauvais regard : "Si tu tiens à ta vie, ne pose pas trop de questions !" Vous comprendrez que, dans ces conditions, je me contente d'encaisser mes cent sesterces sans m'occuper de rien.

— Et quand revient-il ? demanda Jules.

Il n'est encore jamais revenu par là. »

Mucius s'approcha lentement de la petite porte.

« Qu'y a-t-il de l'autre côté ? demanda-t-il.

— Rien du tout, répondit le boulanger. Ma boutique finit là.

— Il faut bien qu'il y ait quelque chose ! reprit Mucius en entrouvrant prudemment la porte.

— Ne passe pas la tête dehors ! cria l'homme. Il serait capable de te la trancher d'un coup de glaive ! »

Mais Mucius ne l'écouta pas. Il ouvrit largement la porte, se pencha et regarda à droite et à gauche. Ses camarades se pressaient derrière lui pour tenter de voir quelque chose. Dans le crépuscule, ils apercevaient une cour déserte, et, à une dizaine de pas devant eux, un grand mur. Sur la droite, la maison voisine était légèrement en retrait, ce qui empêchait de voir où finissait la cour.

« Allons jusqu'au coin », dit Mucius.

Ils relevèrent les pans de leurs toges sur leurs têtes pour se protéger de la pluie et avancèrent lentement le long du mur. Une fois au coin, ils distinguèrent une haute maison qui dominait les boutiques avoisinantes, et qui était indéniablement celle de Lukos. Sur sa gauche, se dressait à même hauteur la masse épaisse des Bains de Diane. Entr les deux se glissait un étroit passage, vagueme éclairé par un carré de lumière et tombant de la maison de Lukos.

« Une porte est ouverte chez Lukos ! murmura Jules. Tellus a dû passer par là...

— Attendez-moi ! » souffla Antoine.

À quatre pattes, il s'engagea dans le passage, atteignit la porte ouverte et jeta un coup d'œil par-dessus le seuil. Mais il retira précipitamment la tête et revint à reculons.

« Tellus est là ! » annonça-t-il.

Les gamins ne savaient plus que faire. Il leur était impossible de s'approcher de la porte sans être aperçus par Tellus. Indécis, ils contemplaient l'étroit passage obscur, ne se décidant ni à avancer, ni à reculer. Mais bientôt, ils distinguèrent un mince filet de lumière sur le mur, à mi-chemin entre leur poste d'observation et la porte. Mucius s'approcha prudemment, fit signe aux autres de le suivre et posa un doigt sur ses lèvres.

Le filet de lumière provenait d'une fenêtre sur laquelle on avait cloué d'épaisses planches. Les jeunes garçons appuyèrent leur visage aux fentes du bois et regardèrent à l'intérieur. La grande salle voûtée où Lukos les avait reçus était encore plus sombre que la première fois. Il n'y avait pas de feu dans la cheminée, et les masques grimaçants accrochés aux colonnes n'étaient plus illuminés. Sur la table de Lukos était placée une lanterne qui jetait une lueur trouble, et à côté d'elle gisait un glaive court et large.

Tellus était assis sur un escabeau et semblait attendre quelque chose car, de temps à autre, il tournait la tête pour prêter l'oreille et poussait de profonds soupirs.

« Il attend Lukos », murmura Flavien.

Soudain Tellus se leva. À pas rapides, il traversa la salle et disparut derrière un rideau qui cachait une petite porte.

« Lukos doit être là-dedans, déclara Mucius. Si seulement nous pouvions entendre ce qu'ils disent ! »

Mais Tellus et Lukos restaient derrière le rideau. Par instants, les écoliers percevaient bien un vague murmure de voix, mais ils ne pouvaient comprendre les paroles.

« Je vais me glisser jusque-là pour essayer d'écouter, dit Mucius, intrépide.

— Je t'accompagne ! proposa immédiatement Caïus.

— Moi aussi ! dit Antoine.

— Xantippe nous a ordonné de rester toujou ensemble ! gémit Flavien.

— C'est bon, dit Mucius. Retirez vos sand Si nous faisons le moindre bruit, tout est per me quittez pas ! Si je crie : "Attention !", nous nous précipitons tous dehors et nous filons par la boulangerie. C'est compris ? »

Ils enlevèrent rapidement leurs sandales et se glissèrent jusqu'à la porte. Puis ils examinèrent l'intérieur de la grande salle. Elle était vide. Mucius, le premier, se risqua à franchir le seuil. Il avançait sur la pointe des pieds, très lentement, en balançant les bras pour maintenir son équilibre, et il se rapprochait du rideau. De temps à autre, il se figeait sur place pour écouter. Les autres l'imitèrent. Finalement, ils atteignirent le rideau et s'arrêtèrent, en retenant leur souffle. Ils entendaient de légers tintements métalliques, et une voix rauque qui murmurait : « Cent... deux cents... trois cents... »

Mucius écarta très légèrement le rideau et, par la fente, il jeta les yeux dans une espèce de caveau sans fenêtres dont les murs luisaient d'humidité. Lukos était seul, et bien qu'il leur tournât le dos, les jeunes garçons le reconnurent immédiatement à sa longue chevelure d'un jaune sale et à son manteau orné d'étoiles. Le voyant était en train de compter un monceau de pièces d'or et de les enfouir dans un sac. Absorbé par son travail, il murmurait : « ... Quatre cents... cinq cents... six ... »

s soudain il s'interrompit et se retourna.

Cette fois, son visage n'était plus fardé en blanc et noir, mais était recouvert d'une sorte de masque de terre cuite, semblable à ceux que portaient les acteurs sur la scène.

Il observa le rideau pendant un instant, puis brusquement il se redressa.

« Attention ! filons ! » siffla Mucius.

Flavien fut le premier à partir comme une flèche, mais il trébucha sur une corde tendue au ras du sol et il s'étala de tout son long, tandis qu'au même instant la porte se refermait en claquant. Les autres se ruèrent sur la porte et tentèrent de l'ébranler, mais ce fut en vain.

« Ne vous donnez pas tant de mal ! lança une voix rauque. Vous n'arriverez pas à l'ouvrir ! »

Lukos avait écarté le rideau et les observait. Par les fentes du masque, on pouvait voir ses yeux qui luisaient d'un éclat méchant. Il avança lentement, de sa démarche lourde et hésitante, et, involontairement, les jeunes garçons se serrèrent les uns contre les autres... Flavien, lui, restait étendu sur le sol, totalement immobile. Il devait être paralysé de terreur, ou bien il faisait le mort.

Lukos se pencha sur lui et l'attrapa par les cheveux.

« Au secours ! » hurla Flavien d'une voix aiguë.

Et, se redressant d'un bond, il se réfugia auprès de ses camarades.

Lukos eut un rire bref, puis il s'assit sur un escabeau, croisa les bras, et dit d'une voix lourde de menaces :

« Je savais que vous viendriez ! Vous êtes tombés dans un piège, mes petits amis, et cette fois vous ne m'échapperez pas !

— Si tu nous fais quelque chose, je le dirai à mon père ! gronda Caïus.

— Tu n'auras pas l'occasion de le lui raconter ! » répliqua Lukos.

Caïus se tut, glacé d'effroi, et les autres observèrent un silence craintif. Mais au bout d'un moment Mucius s'éclaircit la gorge et dit d'une voix blanche :

« Nous ne voulons rien de toi. Mais comme nous avions vu Tellus entrer ici...

— Tellus n'est pas ici, répliqua rudement Lukos.

— N'est-il pas là-dedans ? osa demander Mucius en montrant le rideau qui cachait l'entrée du caveau.

— Tellus est rentré chez lui, dit Lukos. Là-bas, a une porte qui donne sur la ruelle.

— Mais son manteau est resté ici ! » fit remar-
les.

Lukos tourna les yeux vers le manteau qui gisait à côté de l'escabeau, puis il glapit :

« Je vous répète qu'il n'est plus ici !

— Eh bien, permets-nous de rentrer chez nous ! s'écria Flavien d'une voix implorante.

— Non ! dit Lukos.

— Tu n'as pas le droit de nous garder ici ! protesta Jules.

— Vous n'avez pas le droit de venir m'espionner, répliqua Lukos, railleur. Les imprudents ne doivent s'en prendre qu'à eux-mêmes.

— Nous n'avons pas peur. Nous sommes des Romains ! proclama fièrement Mucius.

— Bravo, mon fils ! dit Lukos en pouffant de rire. Mais n'ayez pas peur. Je ne vous ferai rien. »

En entendant ces paroles, les garçons se sentirent un peu rassurés. Après tout, ce Lukos n'était peut-être pas aussi méchant qu'il en avait l'air.

« Et n'essaie pas de nous jeter un sort ! reprit Antoine. Je connais un magicien, bien meilleur que toi, et il aurait vite fait de conjurer tes sorts !

— Je ne sais pas jeter de sorts, répondit sèchement Lukos. Je suis un voyant. Et cela me per justement de connaître les raisons de votre sence. Vous cherchez celui qui a profané le et vous croyez que c'est Tellus. »

Les écoliers en restèrent muets de s

Lukos savait non seulement prédire l'avenir, mais il était même capable de lire dans leurs pensées ! Puis Mucius approuva d'un signe de tête.

« Nous ne sommes pas absolument certains que ce soit Tellus, dit-il, mais nous le soupçonnons. Peut-être est-ce lui, le loup rouge. Sais-tu, toi, qui est ce loup rouge ?

— Nous devons lui arracher sa peau de mouton », ajouta Antoine.

Pendant un instant, Lukos resta totalement immobile, puis soudain il bondit, agita les bras et glapit avec fureur :

« Votre loup rouge, il n'existe pas ! Tellus est innocent ! C'est moi qui ai profané le temple ! Moi seul ! »

20

Complètement interdits, les jeunes garçons contemplèrent Lukos avec des yeux ronds.

« Vous ne me croyez peut-être pas ? demanda-t-il d'une voix menaçante.

— Mais... la chaîne appartient pourtant à Tellus ! parvint à balbutier Mucius.

— Non ! cria Lukos. La chaîne et le manteau m'appartiennent. Tellus est souvent venu me consulter, et je lui ai prêté hier ce manteau.

— C'est pourtant Tellus qui a envoyé le mess ger au journal !

— À cause de moi, répliqua le voyant. Je l

dit de le faire. Mais Tellus n'a rien à voir dans toute cette histoire. Vous avez suivi une fausse piste ! »

Il se dirigea vers sa table et fouilla en hâte dans un tas de parchemins.

« Reconnaissez-vous cela ? demanda-t-il en leur présentant une tablette. C'est celle de votre ami ! Je vais vous dire comment j'ai fait pour imiter son écriture : j'ai découpé les lettres dans la tablette, puis j'ai appuyé ce pochoir sur le temple et j'y ai passé de la peinture. Là ! Regardez !... »

Il plaça la tablette de cire devant la lanterne, et l'on vit apparaître en lettres lumineuses les mots biens connus : « Caïus est un âne. »

« C'est également moi qui ai attaqué votre maître et lui ai volé cette tablette, poursuivit Lukos. Tenez ! voilà ses sales livres et ses images !... »

Et il lança à leurs pieds plusieurs rouleaux de parchemin.

« Vous me croyez, maintenant ? »

Les jeunes garçons comprirent qu'il disait la vérité. Lukos avait d'ailleurs une tête de plus que Xantippe : son signalement concordait donc avec celui de l'agresseur.

Mucius se souvint alors que Rufus était venu ~ez le devin.

~ Mais que t'avait donc fait Rufus ? s'écria-t-il. ~quoi l'as-tu compromis ?

— Il avait découvert mon secret, répondit sombrement Lukos. Voilà pourquoi il doit mourir. »

Les gamins furent épouvantés par ces dernières paroles. Une nouvelle fois, ils regardèrent autour d'eux, cherchant une possibilité de fuite. Mais Lukos parut deviner leurs pensées.

« Et ne croyez pas que vous allez pouvoir courir chez le préfet de la Ville pour me dénoncer ! dit-il railleusement. Vous allez rester bien sagement ici, jusqu'à ce que je sois en sûreté. Demain à l'aube, mon bateau quitte Ostie[1]. Je retourne dans mon pays, et vous ne me retrouverez jamais là-bas. Et vous, vous resterez ici, dans cette salle. Vous ne parviendrez pas à ouvrir les portes, car elles sont munies d'un mécanisme secret que je suis le seul à connaître. »

Là-dessus, il saisit son glaive et, en quelques coups rapides, il trancha les cordelettes qui couraient au ras du sol.

« Voilà ! cria-t-il. Les portes sont maintenant bloquées. Vous pouvez faire tout le bruit que vous voudrez : les murs sont épais, et personne n'habite à côté. Si vous avez de la chance, on finira par vous découvrir. Dans le cas contraire, tant pis pour vous ! Vous l'aurez bien cherché ! »

Mucius exultait en lui-même, car Lukos se

---

1. Le port de Rome.

avoir oublié l'échelle qui permettait de gagner le toit. De là-haut, ils pourraient appeler à l'aide. Mais il s'était réjoui trop tôt. En effet, Lukos se ravisa et dit :

« Non. Il vaut mieux que je vous enferme dans la cave, pour que vous ne puissiez pas voir comment j'ouvre la porte. »

Il se baissa et souleva une large trappe encastrée dans le dallage, découvrant ainsi un trou sombre et les premières marches d'un escalier qui menait dans les profondeurs de la terre.

« Descendez là-dedans ! » ordonna-t-il.

Chose curieuse, Mucius fut le premier à obéir. Il s'avança lentement vers l'ouverture de la cave, ce qui l'obligea à passer tout près de Lukos. Soudain il se retourna d'un bond, empoigna d'une main le bras de Lukos, tandis que de l'autre il tentait de lui arracher son glaive. Un instant surpris, Lukos se ressaisit et se défendit de toutes ses forces.

« Au secours ! » hurla Mucius qui commençait à faiblir.

Les autres sortirent enfin de leur effarement, se ...rent sur Lukos, s'agrippèrent à ses bras et à ses ...es, comme de jeunes chiens, et cherchèrent à ...erser sur le sol. Le voyant vacilla. Soudain, ...t à dégager son bras droit et il envoya son ...ute volée dans le visage de Caïus. Celui-ci tomba à la renverse, mais il se releva aussitôt et, fou de rage, il empoigna l'escabeau, le souleva et le laissa retomber sur la tête de leur ennemi. Lukos s'écroula, le visage en avant, et ne bougea plus.

« Bravo, Caïus ! » dit Mucius qui reprenait péniblement son souffle.

Caïus n'avait pas lâché l'escabeau. Son nez saignait, ses yeux lançaient des éclairs de colère.

« Je lui en donne encore un ? gronda-t-il en relevant son arme.

— Inutile, dit Mucius. Je crois qu'il est mort. » Caïus sursauta.

« Quoi ? Il est mort ?... » balbutia-t-il.

Les autres gamins s'approchaient du corps de Lukos, mais Mucius les repoussa.

« Allons ! vite ! cria-t-il. Il nous faut fuir !

— Mais par où ? demanda Antoine.

— Par l'échelle. Nous monterons sur le toit pour appeler au secours. »

Il saisit la lanterne et courut jusqu'au fond du couloir. L'échelle était toujours là, dans un renfoncement, près de la porte. Mucius empoigna les premiers échelons et commença à grimper. Ses camarades se pressèrent derrière lui. Mais lorsqu'ils furent arrivés environ à mi-hauteur, l'échelle va glissa sur le dallage et s'abattit. Par chance, se heurta le mur opposé, ce qui la coinça en position oblique.

Les gamins redescendirent en hâte et sautèrent sur le sol.

« Eh bien, mes petits ! nous l'avons échappé belle ! » souffla Publius.

Ils essayèrent de redresser l'échelle, mais elle était si solidement coincée entre les deux murs qu'ils ne purent la déplacer. Ils tentèrent alors d'ébranler la porte, donnèrent des coups de pied dans le battant et appelèrent dans l'espoir qu'on les entendrait. Tout cela ne servit à rien.

Ils revinrent ensuite dans la grande salle voûtée et, à l'aide des objets les plus divers, frappèrent à la porte de derrière. Mais celle-ci était également d'une solidité à toute épreuve, et les efforts des captifs furent vains.

« Arrêtez ! cria soudain Antoine. Lukos ne nous a-t-il pas dit qu'il y avait là une porte par laquelle Tellus était sorti ? »

Et il montrait le rideau qui cachait l'entrée du caveau. Ils s'y précipitèrent tous, mais à leur grande surprise ils s'aperçurent que les murs du caveau étaient nus.

— Comment Tellus a-t-il pu sortir ? demanda s.

— Il doit y avoir une porte secrète », répondit Jules qui se mit à sonder les murs.

Lorsqu'ils eurent constaté qu'il n'y avait malheureusement aucune autre issue, ils revinrent dans la grande salle et, en proie au plus profond découragement, s'assirent sur le sol, le long du mur. Ils étaient fatigués, ils avaient faim, et leurs pieds nus étaient glacés.

La mystérieuse disparition de Tellus les troublait au plus haut point. Mais leur propre situation les inquiétait encore davantage. La lueur de la lanterne faiblissait. Bientôt ils seraient dans les ténèbres ; et combien de temps devraient-ils y rester avant qu'on ne vînt les délivrer ?

Jules regardait pensivement le corps immobile de Lukos.

« Je voudrais bien savoir, dit-il, quel est ce terrible secret que Rufus avait découvert. Cela n'aurait-il pas un rapport avec le loup rouge et sa peau de mouton ?

— Il n'y a pas de loup rouge, grommela Publius. Rufus devait délirer... »

Mais Jules ne l'écoutait pas. Il s'était brusquement penché sur Lukos.

« Regardez donc la curieuse bague qu'il por doigt ! » dit-il.

Antoine s'approcha de lui.

« Mais c'est le sceau de Tellus ! s'écria-t-il avec étonnement. Je l'ai vu cet après-midi même à son doigt !

— Bizarre ! murmura Jules. Lukos lui aurait donc volé sa bague avant de le faire disparaître ?...

— Et regardez donc ce qu'il porte aux pieds ! » reprit Antoine.

Les jeunes garçons se penchèrent en avant. Le manteau noir s'était retroussé, et l'on apercevait aux pieds de Lukos de curieuses chaussures avec de très hautes semelles de bois.

« Ce sont des cothurnes[1] ! dit Jules stupéfait. Comme ceux que portent les acteurs !

— Et voilà pourquoi il marche avec difficulté, murmura Mucius comme s'il pensait à haute voix.

— À quoi cela lui sert-il ? » demanda Flavien.

Soudain Mucius se redressa d'un bond en poussant un hurlement. Puis il se frappa le front du plat de la main.

« Qu'est-ce qui t'arrive ? demanda Jules.

— Imbéciles que nous sommes ! gémit Mucius. Maintenant je sais qui est le loup rouge !

— Qui est-ce ?

— C'est Lukos ! Lukos veut dire "loup" en

—

ssures à semelle très épaisse que portaient les acteurs de tra-
_e pour qu'on les voie mieux sur la scène.

grec. *Ho lukos :* le loup. Avez-vous donc déjà oublié la dernière liste de mots grecs ?

— *Ho lukos :* le loup, répétèrent les autres. Mais c'est vrai !

— Pourtant Lukos n'était pas rouge ! objecta Caïus qui n'avait pas encore compris.

— Non, Lukos n'était pas rouge, cria Mucius, mais dehors, sur le panneau placé à côté de la porte, le mot LUKOS est écrit en lettres rouge sang. Il nous aurait suffi de regarder ce panneau pour comprendre ce que Rufus avait voulu dire. Naturellement, il ne pouvait pas se douter que nous étions si bêtes ! Xantippe lui-même n'a pas été plus malin que nous.

— Et la peau de mouton ? Où est-elle ? demanda Publius, toujours sceptique.

— Là ! répondit Mucius en montrant l'épaisse chevelure jaunâtre de Lukos. Ne dirait-on pas de la laine ? »

Et il se baissa pour saisir Lukos par les cheveux.

« Je vais lui arracher sa peau de mouton ! reprit-il. Vous allez voir ça !

— Tu ne vas tout de même pas arracher les cheveux d'un mort ! protesta Flavien épouvanté.

— Ça m'est bien égal ! » gronda Mucius qui de toutes ses forces.

Brusquement, quelque chose céda, et Mu

retrouva avec une perruque à la main. Au-dessous, on vit un crâne chauve marqué d'une longue cicatrice.

« Tellus ! s'exclamèrent les gamins qui n'en croyaient pas leurs yeux.

— Ah ! je m'en doutais depuis un bon moment ! » murmura Mucius.

Mais en vérité il était presque aussi surpris que ses camarades.

21

Soudain Tellus fit un mouvement, et les jeunes garçons reculèrent avec effroi.

« Il est vivant ! » gémit Flavien.

Mucius fut le seul à conserver son sang-froid. Il
se pencha rapidement, attira le glaive qui gisait sur
le sol et l'empoigna d'une main ferme.

Tellus se redressa en geignant. Dans sa chute, son
masque de terre cuite s'était brisé sur le sol, et les
éclats l'avaient blessé au visage. D'un revers de
main, il essuya son front inondé de sang, puis il jeta
un regard effaré tout autour de lui.

« Où suis-je ? balbutia-t-il. Que se passe-t-il ? »

Mais il parut bien vite reprendre ses esprits, et, apercevant son glaive dans la main de Mucius, il eut un geste de lassitude.

« Inutile d'avoir peur de moi ! dit-il d'une voix mourante. J'ai dû me blesser grièvement, et je ne peux plus bouger. Ayez pitié de moi, et appuyez-moi contre le mur... »

Puis sa tête retomba sur sa poitrine, et il se mit à haleter sourdement.

Caïus et Antoine jetèrent un regard interrogateur à Mucius. Celui-ci approuva d'un signe de tête.

« J'ouvrirai l'œil ! » dit-il en étreignant plus fortement son glaive.

Les deux écoliers prirent alors Tellus sous les bras et le traînèrent jusqu'au mur contre lequel ils l'appuyèrent.

« Merci ! » murmura faiblement Tellus.

Puis il leur lança un regard suppliant.

« Ayez pitié de moi ! gémit-il. Ne me trahissez pas !

— Tu n'as pas eu pitié de Rufus, répliqua Jules. Nous allons te dénoncer !

— Soyez gentils ! implora le blessé. Je vais tout vous raconter, et quand vous saurez comment tout cela est arrivé, je suis certain que vous me pardonnerez. Il faut que vous m'aidiez...

— Nous ? Venir à ton aide ? lança moqueusement Publius.

— Approchez-vous ! chuchota Tellus dont les yeux chavirèrent. Je ne peux pas parler fort... je crois que je vais mourir... »

Les gamins formèrent un demi-cercle autour de lui. Mais Mucius resta sur ses gardes, car les lamentations du gros homme sonnaient un peu faux, à son avis.

« Je me trouvais dans une situation inextricable, commença Tellus d'une voix si faible que les jeunes garçons durent se pencher pour mieux entendre. J'étais complètement ruiné, mon banquier ne voulait plus m'avancer d'argent, et mes créanciers allaient me faire jeter en prison... Ce fut alors que j'imaginai un moyen de gagner beaucoup d'argent. Il y a bien des années, au cours de mes campagnes en Orient, j'avais fait prisonnier un célèbre devin qui s'appelait Lukos. Je l'interrogeai à plusieurs reprises, et il finit par m'avouer qu'il était un imposteur et n'avait aucun don de seconde vue. Il était devenu le confident du roi des Perses, ce qui lui permettait de connaître d'avance d'importantes décisions politiques. De la sorte, ses prédictions se réalisaient presque toujours, et les grands du royaume lui versaient d'énormes sommes pour qu'il leur prédise l'avenir. Dans ma détresse, je me sou vins de cet homme et décidai de l'imiter. J'étais le confident de l'empereur, et il m'était facile de faire aussi bien que Lukos. Je me suis donc établi ici, comme voyant, et j'ai bientôt gagné assez d'argent pour rembourser toutes mes dettes.

— Quand l'empereur l'apprendra, tu passeras un mauvais quart d'heure ! dit Publius.

— Je m'en doute, hélas ! répondit Tellus en soupirant. Je jouais un jeu très dangereux. Voilà pourquoi je prenais toutes les précautions pour garder mon secret. Et tout se serait fort bien passé si Rufus ne m'avait surpris.

— Rufus savait donc que tu étais Lukos ? s'écria Jules.

— Il l'a découvert par un malencontreux hasard. Avant-hier soir, il est venu me voir pour me parler de la tablette qu'il avait accrochée au mur de la classe, et de sa querelle avec Caïus.

— Et pourquoi t'a-t-il raconté cela ?

— Parce qu'il voulait que je jette un sort à son maître. »

Les jeunes garçons allaient de surprise en surprise.

« Et en quoi voulait-il que tu le transformes ? demanda Antoine.

— Je devais lui jeter un sort pour qu'il oublie de le rendre, le lendemain, chez la mère de Rufus.

— Un petit malin, ce Rufus ! lança Publius.

— Mais comment a-t-il découvert que tu étais Lukos ? demanda Mucius.

— Eh bien, voilà ! reprit Tellus. Comme je voulais me débarrasser rapidement de lui, j'ai exigé une forte somme. Je supposais qu'il n'avait pas d'argent, et c'était exact. Il est parti, consterné. Après lui, j'ai reçu deux autres clients, puis au bout d'une heure j'ai décidé de fermer ma porte, car je devais retourner dans mon palais où j'attendais des invités. Je suis passé dans la pièce voisine, j'ai ôté ma perruque, effacé mon maquillage, puis je suis revenu dans cette pièce pour y reprendre ma bague que j'avais laissée sur la table. Et soudain, j'ai vu Rufus devant moi ! J'avais dû oublier de faire fonctionner le mécanisme secret pour fermer la porte après le départ du dernier visiteur. Rufus tenait une bourse à la main. En m'apercevant, il s'est écrié : "Tellus, tu es Lukos !" Il me connaissait bien, car j'étais souvent venu chez son père. Alors je l'ai empoigné par le bras et je lui ai dit : "Si tu me trahis, je ferai périr ton père ! – Tu ne peux rien lui faire, m'a-t-il répliqué, puisqu'il est bien loin d'ici ! – Je peux fort bien le faire, lui ai-je dit. Ton père vient de subir une défaite humiliante. Si tu ne me jures pas d'observer le silence, je veillerai à ce que le Sénat rappelle ton père et le fasse exécuter. Tu sais que j'en ai le pouvoir : il me suffit de dire un mot à l'empereur." Là-dessus, je l'ai secoué assez vivement pour l'intimider encore davantage, et cela lui a fait tellement peur qu'il a laissé tomber sa bourse, s'est dégagé, et s'est enfui en perdant son manteau. J'ai voulu le rattraper, mais avec ces cothurnes aux pieds j'étais gêné pour courir.

— Pourquoi portes-tu ces cothurnes ? demanda Flavien.

— Sous les traits de Lukos, je voulais paraître très grand, dit Tellus. De la sorte, nul ne pouvait imaginer que j'étais Tellus.

— Tu n'as donc pas pu le rattraper ? demanda Mucius.

— Non. La porte d'entrée devait être restée ouverte, et il m'a échappé.

— La porte n'était pas restée ouverte, répliqua Mucius. Sinon, il ne se serait pas enfui par le toit.

— Par le toit ? répéta Tellus avec étonnement.

— Oui. Moi aussi, je me suis enfui par le toit parce que la porte s'était refermée.

— Mais on ne peut pourtant pas s'échapper par le toit !

— Si ! Nous avons sauté sur le toit des Bains de Diane, et de là dans la piscine. »

Tellus le regarda avec surprise. Puis au bout d'un instant, il demanda d'un air intrigué :

« Et pourquoi ne vous êtes-vous pas enfuis de la même façon, cette fois-ci ?

— Nous n'avons pas pu, grogna Caïus. L'échelle a glissé et s'est coincée. »

Cette réponse mit les autres garçons en fureur. Ce Caïus était vraiment trop bête ! N'eût-il pas mieux valu laisser croire à Tellus qu'ils avaient la possibilité de sortir ?

Jules se hâta de détourner la conversation.

« Pourquoi as-tu écrit : "Caïus est un âne" sur le temple ? » demanda-t-il.

Tellus geignit faiblement et il essuya le sang qui coulait sur son visage.

« Tout d'abord, dit-il, je ne songeais à rien de semblable. J'étais certain que Rufus se tairait pour ne pas mettre en danger son père. Mais tout de suite après son départ un nouveau visiteur s'est annoncé. J'ai remis ma perruque, placé un masque sur mon visage et je l'ai reçu. C'était un sénateur bien connu, qui avait prononcé un violent discours au Sénat contre Praetonius, en demandant qu'il soit châtié pour sa défaite. Il est entré ici dans un état de grande agitation. En effet, il venait de recevoir la visite d'un ami qui arrivait de Gaule, et celui-ci lui avait dit que Praetonius n'avait nullement subi une défaite, mais avait tout au contraire remporté une grande victoire sur les Gaulois. Le courrier officiel qui apportait la nouvelle avait été retardé en route, mais devait arriver dès le lendemain au palais impérial. Le sénateur m'a supplié de lui prédire l'avenir. Tomberait-il en disgrâce auprès de l'empereur ? Devait-il se réfugier à l'étranger ? Je lui ai conseillé de rester tranquillement chez lui. Je savais en effet que l'empereur ne lui en voudrait pas, car il est jaloux de Praetonius. Après m'avoir remis un sac de pièces d'or, le sénateur est reparti, tout content. Mais moi, j'étais désespéré par la victoire de Praetonius. Cette nouvelle serait certainement annoncée dès le lendemain ; Rufus n'aurait alors plus aucune raison de me craindre et de conserver le silence. Il me fallait le rendre incapable de parler avant qu'il n'eût appris la victoire de son père. Mais comment ? Je me suis creusé la cervelle, et soudain je me suis souvenu de ce que Rufus m'avait raconté au sujet de sa tablette et de sa querelle avec Caïus. Mon plan était tout tracé : Rufus devait commettre un crime et être arrêté. Quand il serait en prison, il ne pourrait plus parler. Je veillerais à ce qu'il fût envoyé aux galères sans même avoir été jugé.

— Misérable ! » s'écria Flavien, indigné.

Tellus prit un air repentant.

« Un sort terrible m'attendait si Rufus divulguait mon secret, dit-il. Il ne fallait à aucun prix que l'empereur pût apprendre que j'avais abusé de sa confiance.

— Celui qui agit mal mérite d'être puni, dit Jules, énonçant l'un des préceptes de Xantippe.

— Tu as raison, bien sûr ! répondit Tellus. Mais je n'ai songé qu'à sauver ma peau. J'ai jeté sur mes épaules un manteau d'officier que j'avais rapporté d'Orient, et je me suis glissé dans l'école. Je savais que la tablette de Rufus était accrochée au mur de la classe, et je l'ai cherchée à tâtons. Mais, dans mon énervement, j'avais oublié d'enlever mes cothurnes ; leur claquement sur le sol a réveillé votre maître qui m'a surpris. Je me suis battu avec lui, je l'ai jeté à terre, puis j'ai empoigné un escabeau et lui ai donné un grand coup sur la tête. Ensuite, je l'ai ligoté, bâillonné et enfermé dans une armoire.

— Il serait mort étouffé si nous ne l'avions pas découvert à temps ! dit Mucius.

— J'étais bien obligé de me débarrasser de lui ! répliqua Tellus. Il m'a fallu chercher longuement la tablette que j'ai fini par découvrir dans un bahut.

— Et pourquoi as-tu emporté des livres ? demanda Flavien.

— Je voulais donner l'impression qu'il s'agissait d'un cambriolage ordinaire.

— Oh ! fit Publius. Nous avons immédiatement senti qu'il y avait du louche !

— Et pourquoi as-tu envoyé le messager au journal ? demanda Jules.

— Parce que j'avais peur que mon plan n'échouât. Il fallait absolument que Rufus fût arrêté dès le lendemain matin. Or, l'inscription sur le temple risquait de n'être pas découverte à temps ; ou bien Vinicius, qui est l'ami de Praetonius, pouvait essayer d'étouffer l'affaire. J'imaginais mille autres raisons qui auraient pu empêcher son arrestation. Voilà pourquoi j'ai jugé utile d'avertir le journal. De la sorte, j'obligeais Vinicius à agir. J'ai rabattu mon capuchon sur mon visage, et, avant d'aller tracer l'inscription sur le temple, j'ai porté moi-même la nouvelle au bureau du censeur. Si j'y avais été plus tard, il aurait été fermé.

— Et c'est là que tu as commis une grossière erreur, dit Mucius.

— Comment cela ?

— Parce que nous avons découvert que l'information avait été remise au journal avant même que le temple ne fût profané. C'est d'ailleurs ce qui nous a mis sur ta piste. Sans cela, nous ne t'aurions jamais soupçonné. »

Tellus en resta muet de stupeur.

« Chaque criminel commet une faute, dit sentencieusement Jules. Et tu n'auras pas fait exception à la règle.

— Vraiment trop bête de ma part ! grommela Tellus. Mais je ne pouvais agir autrement. D'ailleurs, cela n'aurait servi à rien, si je n'avais pas dénoncé Rufus au préfet de la Ville.

— C'est encore toi ! s'écria Mucius indigné.

— Il a bien fallu ! Le lendemain matin, je me suis fait transporter en litière sur le Forum, et je me suis posté au voisinage de la prison pour être bien certain que Rufus serait arrêté. Comme le temps passait et que je ne voyais toujours rien, j'ai commencé à craindre que quelque chose n'eût dérangé mes plans...

— C'était nous ! dit fièrement Antoine.

— La peur m'a gagné. Bientôt, la nouvelle de la victoire allait être annoncée. Enfin, n'y tenant plus, je me suis rendu chez le préfet de la Ville et j'ai dénoncé Rufus. Par égard pour mon ami Praetonius, j'ai demandé qu'on ne révélât pas mon nom.

— Tu es vraiment un sale bonhomme ! lança rageusement Mucius.

— Que pouvais-je faire d'autre ? gémit Tellus. Ne comprenez-vous pas que je me trouvais dans une situation terrible ? Ayez donc pitié de moi ! »

Mais les jeunes garçons ne se laissèrent pas attendrir.

« Quand Rufus a été jeté en prison, tu as sans doute pensé que tu ne risquais plus rien ? demanda Publius avec un petit rire moqueur.

— Oui, reconnut Tellus.

— C'est que tu n'avais pas compté sur nous !

— Non, pas au début. Mais lorsque vous êtes venus me voir avec la chaîne, j'ai commencé à me méfier de vous. J'ai eu peur, car je n'avais pas remarqué la perte de cette chaîne. Alors, je suis entré en fureur et vous ai jetés dehors.

— Et pourquoi, par la suite, ne t'es-tu pas débarrassé de cette chaîne ? demanda Mucius.

— Parce que c'est une amulette porte-bonheur, à laquelle je tenais beaucoup.

— Pour une fois, elle ne t'aura pas porté chance ! fit ironiquement remarquer Publius.

— Je l'ai raccrochée au col de mon manteau, poursuivit Tellus, et je suis retourné dans mon palais. Je considérais comme impossible que quelqu'un l'y découvrît.

— Mais moi, je l'ai trouvée ! s'écria fièrement Antoine. Qu'as-tu pensé lorsque je suis venu te voir avec la lettre de Xantippe ?

— J'ai tout de suite deviné que cette supplique n'était qu'un prétexte. Alors, j'ai essayé de t'enivrer pour te faire parler.

— Peuh ! fit Antoine. Je n'étais pas ivre le moins du monde. Tout juste un peu gai !

— Lorsque j'ai constaté la disparition de mon manteau, reprit Tellus, j'ai compris que vous étiez sur ma piste. Comme je savais que vous alliez me surveiller de près, j'ai agi en conséquence. Je suis passé devant l'école, puis j'ai laissé ouverte la porte de derrière pour vous attirer ici.

— Et tu voulais nous tuer ! dit Antoine.

— Mais non ! mais non ! protesta Tellus. Je voulais d'abord découvrir si vous saviez que j'étais Lukos. Quand j'ai vu que vous ne le saviez pas, j'ai pris sur moi, en ma qualité de Lukos, la responsabilité du crime. De la sorte, je lavais Tellus de tout soupçon. Voilà pourquoi je vous ai raconté que j'allais me réfugier dans mon pays. Je comptais vous enfermer ici pour que vous ne puissiez pas me suivre et voir où j'allais. Vous n'auriez jamais pu retrouver Lukos, et Tellus aurait été sauvé.

— Très habile ! dit Jules. Mais nous serions allés chez le préfet de la Ville, et nous lui aurions dit que le coupable était Lukos. Nous l'aurions amené ici, et lui aurions montré la tablette de Rufus et les livres volés à Xantippe. Rufus aurait été remis en liberté, et il aurait immédiatement raconté que tu ne faisais qu'un avec Lukos.

— Trop tard ! dit Tellus avec un petit

méchant. Avant de venir ici, je suis passé par la prison et j'ai soudoyé un gardien pour que Rufus soit envoyé cette nuit même sur une galère[1]. Elle appareille demain à l'aube et ne reviendra pas à Ostie avant un an. Vous ne reverrez jamais Rufus ! »

Les jeunes garçons furent épouvantés, car ils savaient fort bien que leur ami ne pourrait résister aux souffrances de la vie de galérien.

« Misérable ! gronda Mucius.

— Vous n'auriez pas dû mettre votre nez dans mes affaires », dit Tellus en soupirant.

Il leur glissa un regard rusé et ajouta :

« Mais il y aurait peut-être encore un moyen de sauver Rufus...

— Lequel ? Parle ! crièrent les gamins.

— Eh bien, dit Tellus, je vous propose de conclure un pacte. Il sera entendu une fois pour toutes que Lukos est le coupable et que Tellus est innocent. Vous me jurez de ne pas me trahir, et moi je vous jure d'envoyer tout de suite un messager au capitaine de la galère pour lui ordonner de remettre Rufus en liberté. Mon messager a juste le temps d'arriver à Ostie avant que le navire ne lève l'ancre. Mais décidez-vous vite ! Laissez-moi retourner dans mon palais. »

Grand bateau à voiles et à rames.

Les jeunes garçons hésitèrent, car ils avaient appris à se défier de Tellus.

« Et que ferons-nous si tu ne tiens pas parole ? lui demanda Jules.

— Vous me dénoncerez.

— Tu ne peux pas bouger ! s'écria Flavien. Comment pourras-tu retourner chez toi ? »

Tellus réfléchit un instant.

« Eh bien, je vais vous laisser sortir, dit-il. Courez à mon palais et dites à mes esclaves de venir me chercher avec une litière. Racontez-leur que Lukos a tenté de m'assassiner et qu'il s'est enfui. »

Les gamins étaient toujours indécis. Quand ils seraient partis, Tellus pourrait détruire tous les indices prouvant qu'il avait joué le rôle de Lukos. Par la suite, il lui serait facile de nier. Mais le temps pressait. Il importait tout d'abord de sauver la vie de Rufus.

« Tu vas attester par écrit que tu jouais le rôle de Lukos et que tu as profané le temple, dit Jules. Puis nous te laisserons retourner chez toi.

— Par écrit ? Pourquoi ?

— Parce que nous n'avons aucune confiance e toi. Si tu ne tiens pas parole, nous porterons ce p chemin à l'empereur.

— Et quand Rufus sera libéré, que ferez-vo parchemin ?

— Nous te le rendrons. Nous te jurons de ne pas trahir ton secret. »

L'idée de Jules parut excellente aux autres écoliers. Quand ils seraient en possession de cette confession, Tellus ne pourrait plus les jouer. Mais il fallait faire vite : la lueur de la lanterne faiblissait, et ils risquaient d'être plongés dans les ténèbres avant d'avoir pu quitter la pièce. Par chance, Tellus semblait ne rien remarquer.

« C'est entendu, dit-il. Apportez-moi une plume, de l'encre et du parchemin. Il y en a sur ma table. J'écrirai ce que vous voulez. »

Il s'appuya contre le mur, les yeux mi-clos, comme s'il était complètement épuisé et n'avait plus la force de résister.

Publius et Antoine allèrent chercher de quoi écrire et s'accroupirent auprès du blessé. Tellus écrivit rapidement quelques lignes sur le parchemin, puis il voulut le remettre à Antoine, mais Jules arrêta son geste en disant :

« Appose ton sceau[1] à côté de ta signature. »

Tellus obéit, et appuya le sceau de sa bague au ~~bas~~ as de sa confession.

Satisfait, Jules prit alors le parchemin et se mit à ~~lire~~ à haute voix :

_____
~~Sor~~te de tampon qui porte les insignes d'un personnage de haut

« *Je soussigné Marius Clodius Tellus, ex-consul, reconnais par la présente avoir joué le rôle du devin Lukos et avoir écrit :* "Caïus est un âne", *sur le temple de Minerve. Rufus Praetonius est innocent.* »

« C'est parfait, reprit Jules. Maintenant, dis-nous vite comment on ouvre la porte. Nous allons courir à ton palais et t'enverrons tes esclaves. »

Tellus glissa un regard vers Mucius et dit :

« Auparavant, vous allez me jurer de tenir parole !

— Nous le jurons, répondit Jules impatienté.

— Ça ne suffit pas. Levez tous la main droite pour prêter serment », dit Tellus d'une voix faible, et en fermant presque complètement les yeux.

Les jeunes garçons levèrent la main droite. Seul, Mucius hésita et observa Tellus avec méfiance. Mais le gros homme était affalé contre le mur, cassé en deux comme un moribond, et il semblait indifférent à tout. Rassuré, Mucius prit alors son glaive dans la main gauche, afin de prêter serment avec la droite. Au même instant Tellus fit un saut en avant et tenta d'empoigner l'arme. Mucius recula d'un bond et, appuyant la pointe du glaive sur la poitrine de Tellus, il cria furieusement :

« Si tu bouges, tu es un homme mort ! »

Tellus s'immobilisa sur les genoux, observant Mucius avec haine. Et tout à coup, la lumière s'éteignit, les ténèbres emplirent la vaste salle. Paralysés d'effroi, les gamins n'osèrent bouger. Ils entendirent Tellus sauter sur ses pieds et s'enfuir dans le couloir. Puis il y eut un instant de silence. Et voilà que soudain des coups sourds ébranlèrent la porte de derrière, tandis que des cris s'élevaient dans la cour.

« Au secours ! hurlèrent les gamins.

— Ouvrez cette porte ! ordonna une voix, de l'extérieur.

— Impossible ! répondirent-ils. Nous sommes enfermés ! »

Il y eut alors quelques autres coups violents ; la porte vola en éclats, et, par l'ouverture, les prisonniers aperçurent plusieurs soldats qui maniaient un bélier. Derrière eux se tenaient d'autres soldats porteurs de torches. Les flammes vacillantes brillaient sur les cuirasses et les glaives nus.

Deux officiers pénétrèrent dans la salle. Puis on vit apparaître Vinicius, dans son ample toge de sénateur, tenant une épée à la main. Pour finir, Xantippe en personne franchit le seuil. Il était trempé jusqu'aux os, et il brandissait sa canne en criant :

Où sont-ils, ces petits malheureux ?

Ici ! hurlèrent les gamins fous de joie. Un ban Xantippe !

— Les dieux en soient loués ! dit Xantippe tout réjoui. Vous êtes vivants !

— Bien sûr, que nous sommes vivants ! répliqua dédaigneusement Antoine.

— Mais que se passe-t-il ici ? demanda Vinicius en regardant sévèrement les écoliers.

— Tellus est le coupable ! Tellus est Lukos ! » crièrent-ils.

Là-dessus, Jules remit la confession de Tellus à Vinicius. Celui-ci la parcourut des yeux, et s'écria avec stupeur :

« Par Jupiter ! C'est à peine croyable ! Tellus est Lukos ! Où est-il donc, ce misérable ?

— Il s'est enfui par là !

— Cherchez-le ! » ordonna Vinicius aux soldats.

Les soldats s'élancèrent dans le long couloir. L'échelle avait été redressée. Dans son désespoir, Tellus avait dû déployer un effort surhumain pour la remettre debout. Quelques soldats montèrent sur le toit, et de là-haut l'un d'eux cria que Tellus avait disparu.

« C'est qu'il a sauté dans les Bains de Diane, Mucius. Suivez-moi ! »

Et il fila par la porte de derrière. Tous le suivirent.

« Emportez le bélier ! » cria Vinicius.

Ils traversèrent la cour, la boutique du boulanger, débouchèrent dans la Rue Large, puis s'engouffrèrent dans la ruelle où se trouvaient les Bains de Diane. Les soldats enfoncèrent la porte et ils se ruèrent tous à l'intérieur. Le corps disloqué de Tellus gisait au fond de la piscine vide. Vinicius descendit dans le bassin, se pencha sur le corps, puis se redressa en disant simplement :

« Il est mort. »

Dans le long silence qui régna, on n'entendit plus que le bruissement de la pluie sur le toit, et le léger crépitement des torches. Avec de grands yeux, les écoliers contemplaient le cadavre de leur ennemi.

« Il a sauté trop tard ! » dit enfin Mucius d'une voix sourde.

22

Xantippe frappa un coup sec sur son pupitre.

« Garde à vous ! » ordonna-t-il.

Les élèves firent le silence et se figèrent dans l'attitude respectueuse qu'exigeait leur maître au début de chaque classe. Mais en eux-mêmes, ils soupiraient. Finies les vacances ! Finies les aventures ! Dehors, le soleil matinal brillait ; les gens qui passaient dans la rue avaient le visage joyeux, ca le printemps venait de faire son apparition. Mai quoi bon ? L'école avait repris ses droits, la redevenait monotone.

À la dérobée, ils glissaient un regard

fenêtre. De l'autre côté de la rue on voyait toujours le panneau : LUKOS, *astrologue diplômé, membre de l'académie d'Alexandrie...* Un élève de l'École Xanthos avait barré l'inscription rouge vif, et avait ajouté en dessous : *Parti pour les Enfers*[1].

Mais il y avait déjà trois jours que le méchant Lukos avait disparu à tout jamais, et l'école venait de rouvrir ses portes.

Les élèves étaient au complet. Rufus qui arborait un petit sourire heureux avait repris place à son banc. Bien qu'il fût encore pâle et amaigri, il s'était remis avec une rapidité surprenante de son séjour en prison. Seuls, ses poignets et ses chevilles étaient encore légèrement tuméfiés par les chaînes auxquelles on l'avait rivé. Sans perdre un instant, après la mort de Lukos, Vinicius, Xantippe et les élèves étaient allés le chercher dans son cachot, et ils étaient arrivés de justesse, au moment même où l'on s'apprêtait à l'emmener secrètement.

Le gardien qui s'était laissé soudoyer par Tellus fut mis aux fers pour avoir contrevenu à la loi selon laquelle un citoyen romain ne pouvait être châtié sans jugement.

Rufus avait été porté en triomphe par ses cama-

---

ur les Grecs et les Romains de l'Antiquité, c'est le lieu où t les morts.

rades, et lorsqu'il était rentré chez lui, sa mère avait pleuré de joie.

Xantippe frappa de nouveau sur son pupitre.

« Mes chers élèves, commença-t-il sur un ton solennel, vous avez fort bien mené votre affaire. Je vous l'avais répété cent fois : avec de la persévérance, on atteint toujours son but. Mais maintenant j'espère que vous apporterez à votre tâche d'écoliers une persévérance égale à celle qui vous a permis de sauver votre ami. Il s'agit maintenant de rattraper le temps perdu et de travailler d'arrachepied. Que l'horrible fin de Tellus vous serve de leçon ! Le chemin du vice mène inévitablement à la perdition. »

Caïus se mit à bâiller bruyamment. Les discours de Xantippe produisaient toujours sur lui un effet soporifique.

« Je vous prie instamment de vous abstenir de tous bruits inutiles ! » gronda Xantippe.

Il attendit quelques instants.

« Rien de tout cela ne serait arrivé, reprit-il, vous aviez été plus disciplinés et plus respectu à l'égard de votre maître. Mais je dois avoue j'ai commis moi-même une faute : je me su emporter par la colère, ce qui est contr règles de la pédagogie. J'espère que déso nous entendrons mieux. Ne croyez pas

243

une raison pour vous permettre d'être paresseux !
À partir de maintenant j'exige de vous une application sans défaillance et une discipline exemplaire.
Nous avons devant nous un énorme programme de
travail. Mettons-nous donc courageusement à
l'ouvrage et regardons l'avenir avec confiance. En
mathématiques, nous terminerons tout d'abord
Pythagore, puis nous passerons à Archimède,
Euclide et quelques autres. En grec, je pense vous
faire voir Homère[1], Eschyle[1], Sophocle[1] et Euri-
pide[1]. En histoire, je songe pour l'instant à Séné-
que[2] et à Tite-Live[2]. »

Mais les jeunes garçons ne regardaient pas l'avenir avec autant de confiance que l'espérait leur
maître. Ces perspectives de travail leur paraissaient
véritablement effrayantes, et ils commençaient à
faire grise mine. Imperturbable, Xantippe poursui-
vait :

« Afin que notre programme soit complet, nous
nous garderons également de négliger la géogra-
hie. Et c'est justement par cela, mes jeunes amis,
e nous allons commencer le cours d'aujourd'hui.
ctoire que Praetonius vient de remporter sur
lois est une excellente occasion d'étudier de
ieu où s'est déroulée la bataille, ainsi que

ands poètes grecs.
s historiens latins.

les pays et peuples auxquels nous avions affaire. Qui de vous se souvient de ce que je vous ai appris, tout dernièrement, sur les Gaulois ? Antoine !

— Présent ! » répondit Antoine qui se leva en rougissant.

Il venait de faire passer en cachette à Publius une tablette sur laquelle il avait griffonné ces mots : « Nous aurions mieux fait de laisser Xantippe dans l'armoire ! »

« Eh bien, mon fils ? dit Xantippe. Que sais-tu sur les Gaulois ?

— Oh ! des tas de choses ! s'écria Antoine, rassuré. Ce sont de drôles de gens. Une fois, nous avons eu un esclave qui venait de Gaule. On l'avait chargé de nettoyer les fenêtres, mais comme il n'avait jamais vu de verre, il passait son temps, au lieu de travailler, à regarder dans la rue à travers les vitres. Mon père l'a revendu pour une bouchée de pain.

— Ce que tu sais sur les Gaulois se résume à bien peu de chose ! » gronda Xantippe très mécontent.

Puis il prit sa canne, se leva et se dirigea vers la grande carte pendue au mur.

« Regardez ! cria-t-il en montrant du bout de la canne un point sur la carte. Voici la Gaule. Les Gaulois avaient rassemblé des forces très supérieures aux nôtres sur la rive gauche du d'attaquer par surprise Praetonius et ses légions. Praetonius s'est replié sur la rive droite, et les Gaulois ont exulté en croyant qu'ils l'avaient obligé à prendre la fuite. Mais Praetonius est revenu à la faveur de la nuit et il les a écrasés. Regardez au bout de ma canne : voici le Rhin. Le Rhin est un grand fleuve. Sur ses deux rives vivent des peuples qui sont nos ennemis : sur la rive gauche, ce sont les Gaulois ; sur la rive droite, les Germains... »

Il s'interrompit et cria :

« Caïus ! »

Caïus sursauta, brutalement tiré d'une douce somnolence. Il n'écoutait que d'une oreille distraite la leçon de Xantippe.

« Caïus ! Répète ce que je viens d'expliquer ! ordonna le maître.

— Le Rhin... le Rhin... euh..., balbutia Caïus désemparé. Le Rhin... euh !... le Rhin est un fleuve... qui a deux rives... »

La classe fut secouée par un énorme éclat de rire.

« Silence ! » tonna Xantippe.

Les jeunes garçons se turent, et attendirent avec ignation l'inévitable sermon qui allait s'ensuivre. ais voilà que soudain il se produisit un e : Xantippe se mit à rire ! Jamais encore ses e l'avaient vu en proie à un accès d'hilarité, urent complètement décontenancés. Xantippe riait aux larmes et il lui fallut un bon moment avant de retrouver son sérieux. Il s'essuya alors les yeux d'un revers de main, puis il dit d'une voix encore mal assurée :

« Mon pauvre Caïus, je suis obligé de constater que Rufus avait bien raison : tu es décidément un âne ! »

Henry Winterfeld

Né à Hambourg en 1901, il fait d'abord des études musicales, mais voit son adolescence bouleversée par la guerre 1914-1918, puis menacée par la montée du nazisme. Dans les années 1930, il quitte l'Allemagne pour s'installer aux États-Unis, dans le Maine. Il a écrit plusieurs romans pour la jeunesse, dont deux récits policiers qui se déroulent dans l'Antiquité.

Table

Composition Jouve - 53100 Mayenne
N° 295394v
Imprimé en Italie par G. Canale & C. S.p.A. - Borgaro T.se (Turin)
Mars 2002 - Dépôt éditeur n° 20770
32.10.1887.2/03 - ISBN : 2.01.321887.7
Loi n° 49-956 du 16 juillet 1949 sur les publications destinées à la jeunesse
Dépôt légal : mars 2002